CB015599

# *A Saúde da Alma*

RICHARD SIMONETTI

# *A Saúde da Alma*

Ficha Catalográfica

S598s Simonetti, Richard

A saúde da alma./ Richard Simonetti. -- Bauru,SP : CEAC, 2012.

208 p.; 14x 21 cm

ISBN 978-85-86359-91-0

1. Alma – profilaxia 2. Doutrina espírita – reflexões 3. Saúde – considerações espíritas I. Titulo.

133.9

Projeto gráfico, arte da capa e diagramação
*Renato Leandro de Oliveira*

Revisores - Colaboradores
*José Mauro Progiante*
*Evanilde Rossi Sandrão*
*Alvaro Pinto de Arruda*

4ª Edição - setembro de 2013
2.000 exemplares
17.001 a 19.000



Edição e Distribuição

Rua 7 de Setembro, 8-56
Fone / Fax 014 3227 0618
CEP 17015-031 – Bauru SP
www.ceac.org.br
editoraceac@ceac.org.br
www.radioceac.com.br

*O homem que se esforça seriamente por se melhorar assegura para si a felicidade, já nesta vida.*

*Além da satisfação que proporciona à sua consciência, ele se isenta das misérias materiais e morais, que são a consequência inevitável das suas imperfeições.*

Allan Kardec, em *Obras Póstumas*

# Sumário

# *PROFILAXIA DA ALMA*

*A medicina atual, lembrando antiga tradição chinesa, tende a ser mais profilática do que medicamentosa.*

*Objetivo: evitar que o cliente adoeça.*

*Há disciplinas que contribuem para essa autêntica façanha – regime alimentar, exercícios físicos e respiratórios, trabalho disciplinado, repouso adequado, cuidados de higiene...*

*Entretanto, as pessoas continuam adoecendo e, pior, apresentam males que tendem a cronificar-se, principalmente os de ordem emocional, como depressão e ansiedade, cada vez mais frequentes e resistentes.*

*É que a ciência médica ainda não descobriu o Espírito, o ser pensante em trânsito pela carne, a imprimir no corpo físico algo de seus desajustes e desequilíbrios, que não podem ser resolvidos pelos remédios da Terra, porquanto pedem recursos que só podem ser mobilizados pela orientação do Céu.*

*É dela que falo nestas páginas, leitor amigo, como aprendiz da Doutrina Espírita, que nos ensina o elementar: os males que nos afligem resultam da displicência em relação às leis divinas, admiravelmente sintetizadas por Jesus em seus ensinamentos e ressaltadas por Allan Kardec em seus estudos monumentais.*

*É a partir do empenho, portanto, em estudar o Espiritismo, cultivando a reflexão em torno de seus princípios, que nos habilitamos a vivenciar o Evangelho, a fim de que possamos desfrutar de paz na jornada humana, a saúde por excelência.*

Bauru, dezembro de 2011

www.richardsimonetti.com.br
richardsimonetti@uol.com.br

RICHARD SIMONETTI

# *A Saúde da Alma*

# O VERÃO

Como você responderia, leitor amigo, se eu lhe perguntasse, em relação às estações do ano: qual a sua preferida?

Talvez escolhesse a primavera, flores desabrochando, ar perfumado, manhãs luminosas...

Talvez o outono, brisa fresca, tapete de folhas pelo chão, revoadas de pássaros...

Talvez o inverno, tempo de dormir bem, chocolate, pipocas, chá fumegante no aconchego do lar...

Dificilmente, em nosso país tropical, alguém escolheria o verão, que serve muito bem ao povo que vai à praia, mas é terrível nas atividades diárias, calor sufocante, ar parado, transpiração, odores indesejados...

Fizeram essa mesma pergunta a Chico Xavier:

– Qual a sua estação preferida?

Resposta de pronto:

– O verão.

– Por quê?

– O pobre sofre menos.

Nas pequenas coisas identificamos o Espírito superior, sempre cogitando do bem-estar do próximo.

* * *

A Doutrina Espírita explica que estamos na Terra para evoluir.

Sofrimentos, dores, atribulações, dificuldades, lutas, desbastam nossas imperfeições mais grosseiras para que nasça em nós aquele homem novo a que se referia o Apóstolo Paulo (Efésios, 4:22-24):

*...que, quanto ao trato passado, vos despojeis do velho homem, que se corrompe pelas concupiscências do engano; e vos renoveis no espírito do vosso entendimento, e vos revistais do novo homem, que segundo Deus é criado em verdadeira justiça e santidade.*

Pois bem, leitor amigo, reflita:

Qual seria a primeira providência nesse particular?

A meu ver, seria mudar de pessoa na conjugação do verbo de nossas ações.

Usamos, quase invariavelmente, a primeira pessoa do singular, *eu*, sob inspiração do egoísmo.

O comprometimento com o vício, o crime, a irresponsabilidade, a desonestidade e todos os males da vida social, decorre dessa *conjugação* centrada no eu.

O Bem começa quando nos dispomos a usar a terceira pessoa do plural – *eles*, sob inspiração do altruísmo.

Se todos cogitássemos não do *eu*, mas do *eles*, acabaríamos com guerras, brigas, crimes, miséria e todos os males do Mundo, que se sustentam, invariavelmente, na primeira pessoa do singular.

Se você analisar a vida dos grandes vultos da Humanidade, aqueles que pontificaram no esforço do Bem e da Verdade, perceberá claramente que os distinguia a preocupação com o semelhante, algo que, diga-se de passagem, Jesus ensinou e vivenciou.

Exemplo típico encontramos em Madre Teresa de Calcutá (1910-1997), extraordinária servidora do Cristo.

Suas colocações sobre o amor ao semelhante,

que se manifesta no empenho de servir, são notáveis:

*Não devemos permitir que alguém saia da nossa presença sem se sentir melhor e mais feliz.*

*O senhor não daria banho a um leproso nem* por *um milhão de dólares? Eu também não. Só por amor se pode dar banho a um leproso.*

*O que eu faço é uma gota no meio de um* oceano. *Mas sem ela o oceano será menor.*

*Quando descanso? Descanso no amor.*

*A todos os que sofrem e estão sós, dai sempre um sorriso de alegria. Não lhes proporcioneis apenas os vossos cuidados, mas também o vosso coração.*

*Às portas do paraíso, São Pedro me disse: – Volte à Terra, Teresa, aqui não há favelas.*

* * *

Por que nos sentimos tensos, nervosos, irritados, desanimados, infelizes?

É que a primeira pessoa do singular pesa demais sobre nossos ombros.

O *eles* é leve, diáfano, voejante, principalmente

quando conjugado com afeto.

É o que garante o vigor de missionários aparentemente frágeis como Madre Teresa de Calcutá e Chico Xavier, sempre ativos e dispostos a servir, porque descansam no amor.

# O IRRESISTÍVEL APELO DO CORAÇÃO

Foi amor à primeira vista, dessas coisas que só o Espiritismo explica.

Tão logo se conheceram, Lauro e Cássia sentiram irresistível encantamento. Não era do tipo paixão, na ardência do desejo que se esvai com a satisfação dos sentidos, mas aquele amor autêntico, que transcende os limites da atração física para fixar-se, imortal, na intimidade do coração.

Logo começaram a namorar, experiência sublime de almas afins que se encontram.

À luz da Doutrina Espírita, diríamos, com maior exatidão, almas afins que *se reencontram.* Somente uma convivência milenar nos domínios do afeto poderia justificar tão terna ligação.

Havia um problema.

Ela era pobre e ele rico, família abastada, tradicional, ciosa da ilusória nobreza sustentada pelo dinheiro.

Sua mãe, Matilde, viúva de filho único, ao saber do namoro, passou a pressionar Lauro.

– Essa moça não serve para você – dizia impositiva.

– Mas, mamãe, Cássia é a mulher de minha vida. Eu a amo com todas as forças de meu coração.

– Tolice! De outras vezes você esteve apaixonado e logo passou.

– Desta vez é diferente. É amor mesmo, mamãe. Pretendo casar-me com ela!

– Não admito tal loucura!

– A senhora não pode impedir. Sou maior de idade, tenho meus direitos.

– Pois bem, se é assim, escolha: ou fica comigo, tendo as mordomias de sempre, ou com essa mulher, e não terá um tostão de meus haveres.

– É o que a senhora quer?

– Sim.

– Então saiba que prefiro ficar com Cássia.

Pouco depois Lauro e Cássia casaram-se, cerimônia simples, poucas pessoas, amigos íntimos, familiares da noiva... mãe do noivo ausente.

Matilde viajara para não participar daquela

união que tanto a contrariava. Via na jovem que conquistara o coração de seu filho uma aventureira disposta a dar o *golpe do baú*.

Nem mesmo quisera conhecê-la.

Lauro e Cássia instalaram-se em cidade distante, existência feliz, logo abençoada pelo nascimento de Silvinha, linda menina.

Quanto a Matilde, seguiu solitária, dominada pela nostalgia, saudade imensa do filho que situara por ingrato, mas irredutível em sua orgulhosa decisão de manter-se afastada do casal.

Nem mesmo quando soube do nascimento da neta dispôs-se a superar a animosidade gratuita pela nora, sempre a responsabilizá-la pelo afastamento do filho.

Sete anos passaram céleres, sem que Matilde se dispusesse a modificar sua postura intransigente.

Então recebeu uma carta, letrinha infantil:

– Querida vovó, estou escrevendo para dizer que esperamos sua visita. Mamãe diz que você é uma pessoa boa, que ama a todos nós, mas é muito ocupada. Por isso peço sempre a Jesus que lhe dê um tempinho para nos ver. Amamos você.

Espesso véu de lágrimas cobriu os olhos de Matilde, que mal conseguiu ler as últimas palavras.

– Muitos beijos, vovó! Não esqueça: quero ver você! Com carinho, Silvinha.

Comportas abertas pela simplicidade amorosa de uma criança, Matilde derreteu o orgulho em lágrimas ardentes, reconhecendo seu engano em relação à nora.

Uma jovem repudiada pela sogra que cultivava na filha o carinho pela avó não seria uma simples nora, mas uma filha muito querida que ela obstinadamente rejeitara.

Dias depois, Cássia, Lauro e Silvinha realizavam o Evangelho no Lar, quando bateram à porta.

Silvinha atendeu de pronto e deparou-se com sorridente senhora, que trazia vários embrulhos de presentes.

– Oi, Silvinha, estou aqui, atendendo ao seu pedido.

– Vovó?!

– Sim, minha querida!

Um longo e forte abraço selou o início de uma intensa ligação entre neta e avó, ante o olhar surpreso e emocionado do casal.

Após abraçar o filho, Matilde abraçou mais fortemente a nora, derramando-se em lágrimas.

– Deus a abençoe, minha filha, por relevar as impertinências desta velha e pela orientação que deu à minha neta.

* * *

O orgulho costuma erguer pesadas barreiras que impedem um relacionamento familiar feliz, mas nem tudo estará perdido se não for tão grande que mantenha selada a fonte das lágrimas ante os apelos do coração.

# FILHOS DO TROVÃO

Entre a Judeia e a Galileia, na Palestina, havia a Samaria, compondo o cenário em que Jesus iniciaria a epopeia evangélica.

Os samaritanos, embora também judeus, não se bicavam com seus irmãos daquelas regiões, em virtude de problemas variados.

Dentre eles o fato de que a Samaria estivera por mais tempo sob domínio estrangeiro, sedimentando costumes não compatíveis com o judaísmo.

Eram irmãos de sangue separados por querelas.

Ocorre que a Samaria ficava entre a Galileia e a Judeia.

Sem passar por ela, viajantes em trânsito entre as duas regiões viam-se na contingência de longa volta se quisessem evitar o contato com seus moradores.

Jesus nunca alimentou essa preocupação.

Vezes inúmeras atravessou a Samaria.

Numa dessas viagens aconteceu o inesquecível encontro com a mulher samaritana, em que teceu grandiosos comentários a respeito da comunhão com Deus, despida de ritos e rezas, ofícios e oficiantes, destacando (João, 4:23):

*Deus é Espírito, e importa que os que o adoram o adorem em espírito e em verdade.*

Noutra oportunidade (Lucas, 9:51-56), em solo samaritano, acompanhado pelos discípulos, enviou mensageiros para buscarem pousada numa aldeia. Lamentavelmente, nenhum morador se dispôs a acolhê-los, em face da animosidade existente.

João e Tiago, chamados *Boanerges*, filhos do trovão, por seu caráter impetuoso, sugeriram a Jesus:

*Senhor, queres que mandemos que desça o fogo do céu que os consuma, assim como fez Elias?*

O que me parece incrível, leitor amigo, é a sugestão dos dois discípulos, algo tão espantoso que é risível!

O próprio Jesus, que como todo Espírito superior certamente era bem-humorado, há de ter achado graça nesse impulso juvenil dos dois discípulos.

Convivendo com o Mestre, ouvindo-o exaltar os valores da tolerância, do perdão, da misericórdia, da bondade, eis que ambos estavam bem mais perto de Elias, o rude profeta judeu, que cultivava o mau hábito de incinerar pessoas que o desagradavam, evocando o fogo divino.

A resposta de Jesus não poderia ser outra:

*Vós não sabeis de que espírito sois, pois o filho do homem não veio para destruir os homens, mas para salvá-los.*

* * *

O episódio evidencia a fragilidade humana.

Os ideais evangélicos ainda são meras ideias para nós.

Não desceram do cérebro para o coração.

Não se corporificaram na ação.

Frequentemente, se bem observarmos, verificaremos que nossas reações são de quem prefere evocar o fogo do Céu ao empenho de apagar o fogo na Terra.

Isso acontece porque há muito de *Boanerges* em nossas reações, dificultando o entendimento com o próximo.

E se você, leitor amigo, tem dúvidas a respeito, responda sinceramente.

Consegue evitar a irritação e as reações agressivas em situações como as abaixo?

O motorista que vem atrás buzina, impertinente, porque você demorou alguns segundos para movimentar seu carro no semáforo.

O profissional que contratou para determinado serviço mostra-se relapso e impontual.

O cônjuge, mal inspirado, faz críticas ferinas ao seu comportamento.

O companheiro de atividade religiosa contesta com indelicada veemência seu ponto de vista.

Alguém desastradamente pisa em seu calo.

O filho lhe diz que não aceita sua orientação porque você é um coroa superado.

O chefe critica, grosseiro, seu trabalho.

O subordinado produz reiterados erros na condução do serviço.

O cheque que lhe deram volta sem fundos.

Se sua resposta for afirmativa, provavelmente equivocaram-se as autoridades celestes quando o internaram neste reformatório de expiação e provas, porquanto jamais reagiria assim quem merece viver em mundos mais aprazíveis.

Rudyard Kipling (1865-1936), num poema famoso, discorre sobre as condições para que sejamos um homem com agá maiúsculo (refere-se ao gênero humano, gentil leitora).

Dentre elas está a capacidade de conservar o bom senso e a calma em todas as situações.

Direi eu que bem mais que um homem, se assim fizermos, seremos um cristão, vencida a inferioridade que nos impele a cogitar de torrar os que nos contrariam, atendendo ao *filho do trovão* que ainda mora em nós.

# AGRESSIVIDADE

– Como vencer a agressividade?

– Busque educar-se.

– Sou mal educado?

– Depende do que considera educação.

– Sou de boa família, tenho escolaridade.

– Isso é verniz.

– E a educação?

– Está embaixo do verniz.

– Não merece troco quem o arranha?

– A ranhura não resulta de ação externa.

– De onde vem?

– De uma reação interna.

– Parte de mim?

– De sua deseducação.

# BARBAS DE MOLHO

Apreciando uma procissão, em cidadezinha do interior, um sitiante comentou com o amigo ao lado:

– *Óia* a dona Josefa na romaria! Cruz credo! Logo ela que recebe os *Espíritos* no Centro que a gente frequenta!

Responde o amigo:

– Uai, quanto mais religião *mió, né*?

Expressão incorreta, tanto no sentido gramatical quanto literal.

Se por apreço à linguagem coloquial podemos dispensar a gramática, por respeito ao bom senso é preciso substituir *religião* por *religiosidade*.

Religião demais, a exprimir-se em frequência a um ou muitos cultos, pode ser falta de ocupação ou fanatismo.

O importante é a religiosidade, isto é, o empenho por colocar em prática os princípios da religião.

Não fora a emulação, o estímulo de que carecemos no atual estágio evolutivo, integrados num grupo religioso, poderíamos até dispensar a busca de Deus nas igrejas.

Espíritos superiores já edificaram a Igreja Divina em seus corações, tendo por altar a consciência, com o empenho permanente de renovação e esforço do Bem.

* * *

Nas bem-aventuranças do *Sermão da Montanha*, promete Jesus (Mateus, 5:3-10):

*Bem-aventurados os humildes, porque deles é o Reino dos Céus.*

*Bem-aventurados os que choram, porque serão consolados.*

*Bem-aventurados os mansos, porque herdarão a Terra.*

*Bem-aventurados os que têm fome e sede de justiça, porque serão saciados.*

*Bem-aventurados os misericordiosos, porque alcançarão misericórdia.*

*Bem-aventurados os que têm limpo o coração, porque verão a Deus.*

*Bem-aventurados os pacificadores, porque serão chamados filhos de Deus.*

*Bem-aventurados os que sofrem perseguição por amor à justiça, porque deles é o Reino de Deus.*

Note, amigo leitor, que, significativamente, não há uma única linha, uma única palavra sugerindo que são bem-aventurados os que frequentam os círculos religiosos.

Há, sim, uma advertência das mais severas no final do Sermão (Mateus, 7:21-23):

*Nem todo o que me diz: "Senhor, Senhor!" entrará no reino dos céus, mas aquele que faz a vontade de meu Pai, que está nos céus.*

*Muitos me dirão naquele dia: "Senhor, Senhor, não profetizamos nós em teu nome? e em teu nome não expulsamos demônios? e em teu nome não fizemos muitas maravilhas?".*

*E então lhes direi abertamente: "Nunca vos conheci; apartai-vos de mim, vós que praticais a iniquidade".*

Foram *religiosos* sem *religiosidade.*

Negligenciaram o empenho de renovação, comprometendo-se em deslizes não compatíveis com os princípios que esposavam.

Algo em que pensar!

Eu diria que para nós, espíritas, é algo para ser muito bem pensado, considerando os esclarecimentos que a Doutrina nos oferece a respeito da vida além-túmulo.

Tomamos conhecimento nas dissertações de André Luiz, série *Nosso Lar,* e em muitas outras obras, particularmente *O Céu e o Inferno*, de Allan Kardec, da existência de multidões de Espíritos atormentados e infelizes em regiões purgatórias, de grande sofrimento.

Em boa parte são religiosos enquadrados na advertência de Jesus (Lucas, 12:47-48):

*E o servo que soube a vontade do seu senhor, e*

*não se aprontou, nem fez conforme a sua vontade, será castigado com muitos açoites.*

*Mas o que a não soube, e fez coisas dignas de açoites, com poucos açoites será castigado.*

*E, a qualquer que muito for dado, muito se lhe pedirá, e ao que muito se lhe confiou, muito mais se lhe pedirá.*

Isto significa que nós espíritas, muito mais do que adeptos de outras religiões, seremos cobrados quanto ao empenho de renovação.

Interessante observar um velho ditado espanhol:

*Quando vires as barbas do vizinho ficar sem pelos, põe as tuas de molho.*

Vendo tantos religiosos sem religiosidade a *queimar a barba* nas *labaredas umbralinas*, é bom tomar cuidado com a nossa, cultivando a vivência dos princípios religiosos, não a mera frequência às igrejas.

# O DESAFIO MAIOR

A história mais popular da série *Mil e uma Noites* nos fala de Aladim e a lâmpada mágica, que, esfregada, libertou um gênio disposto a atender a três desejos seus.

Há centenas de versões dessa aventura original, em filmes, livros, programas de televisão, não raro de cunho humorístico.

Recordo uma do gênio que, agradecido ao seu libertador, prometeu atender às suas aspirações, sintetizadas num único desejo, porquanto estivera muito tempo preso na lâmpada e seus poderes estavam enfraquecidos.

O beneficiário pensou, pensou...

Se era apenas um desejo, deveria pedir algo grandioso.

– Quero que você transforme a casa de minha propriedade, onde moro, num edifício de cinquenta andares, com duzentos apartamentos de trezentos metros quadrados para alugar.

O gênio ponderou:

– Como lhe disse, estou ainda um tanto fraco, e uma realização assim vai deixar-me exausto. Dá para simplificar?

– Bem – falou o homem –, há algo bem mais simples que tenho tentado alcançar, sem sucesso. Quem sabe você poderá ajudar-me.

– Peça! Esteja certo de que o atenderei.

– Eu queria compreender as mulheres...

O gênio suspirou:

– Como é mesmo que você quer o prédio?

* * *

Bem, caro leitor, não é minha intenção falar de enigmas impenetráveis.

Evocando a figura do gênio das mil e uma noites, é interessante observar nossos desejos enquanto nas etéreas plagas, em contraposição com os mesmos quando reencarnamos.

No mundo espiritual temos uma visão objetiva de nossas necessidades evolutivas.

Pedimos aos gênios tutelares, nossos amigos espirituais, que nos ajudem a planejar uma existência capaz de incinerar nossas mazelas e liquidar nossos débitos cármicos, acumulados ao longo de muitos séculos de indisciplina e comprometimento com o desajuste.

– Quero nascer zarolho e perneta, portador de doenças congênitas, em família complicada; estágio na pobreza, dores e aflições intermináveis...

Embora inspirados em nobres ideais, fossem nossos desejos atendidos e seríamos esmagados por provações acima de nossas forças, paralisando-nos a iniciativa.

Podando espinhos em exagero, nossos mentores ajudam-nos a planejar uma jornada menos tormentosa, que não nos tolha a iniciativa.

Muito mais do que pagar dívidas, é fundamental estejamos empenhados em não contraí-las e a conquistar créditos de trabalho no campo do Bem e do aprimoramento espiritual, adquirindo aquela riqueza que, no dizer de Jesus, as traças não roem, a ferrugem não corrói, nem os ladrões roubam.

O problema é que aqui aportando, visão espiritual prejudicada pela armadura física, deixamos que prevaleçam os interesses humanos.

Sofremos uma inversão de valores.

Se as coisas correm mal, clamamos ao Céu.

Se correm bem, distraímo-nos dos bons propósitos.

Pagamos nossos débitos cármicos com a angústia do sovina.

Contraímos novos débitos com a avidez do perdulário.

Ao final da jornada, o saldo é negativo na contabilidade divina e vamos parar em regiões umbralinas, onde estagiam os maus pagadores e os esbanjadores do tempo, de onde nenhum gênio nos tirará até que nos livremos dos lastros maiores de desajustes e perturbações.

Sofremos, choramos, clamamos pela complacência divina...

Isso não basta. Na célebre parábola evangélica, o filho pródigo permaneceu na indigência, até *cair em si* e reconhecer que cometera um grande erro afastando-se da casa de seu pai. Foi quando decidiu voltar.

Exatamente o que nos tem acontecido. Depois de muito sofrer, colhendo no umbral as consequências de nossos desatinos, experimentamos esse *cair em si*, a partir do que somos atendidos, esclarecidos e orientados.

Compenetramo-nos de nossas fraquezas e mazelas, de nossos débitos cármicos, da necessidade da reencarnação...

E começa tudo de novo.

Assim será até que nos disponhamos, com todas as forças de nossa alma, a compatibilizar os ideais divinos com os desejos humanos, a partir do empenho por compreender a nós mesmos, habilitando-nos até mesmo a enfrentar esse autêntico desafio que é decifrar a alma feminina.

# PURGATIVOS DA ALMA

Contou-me um confrade que seu pai, dedicado farmacêutico, desses que colocam o ideal de servir acima do interesse de ganhar, era bem inspirado e sempre acrescentava algo aos medicamentos que vendia para pessoas desalentadas que procuravam ajuda.

Além da oração e da confiança em Deus, recomendava-lhes que se colocassem diante do espelho e se pusessem a fazer caretas.

Vendo o ridículo de tal situação, geralmente os pacientes acabavam por dar risadas, esse remédio maravilhoso para os estados depressivos.

Dotado da sensibilidade dos que se preocupam com o próximo, o farmacêutico sabia ler as angústias que oprimem a alma humana, e, não raro, tomava medidas inusitadas, mas salvadoras, em favor dos fregueses.

Certa feita atendeu pobre prostituta, amargurada, semblante depressivo, que se queixava da grande quantidade de ratos em sua residência.

Queria um veneno poderoso para acabar com eles.

O farmacêutico, adivinhando sua real intenção, preparou em envelope um poderoso laxante.

A jovem passou três dias literalmente presa no sanitário.

Quando houve condição para sair, foi à farmácia e pôs-se a xingar o farmacêutico, extremamente irritada. Logo, porém, caiu em lágrimas e agradeceu sua interferência providencial.

A ideia do suicídio fora um repente, um momento de desespero.

Aqueles dias *de molho* lhe permitiram repensar a sua vida, ajudando-a a tomar outro rumo.

* * *

Muito interessante, caro leitor, a metodologia do farmacêutico, recomendando caretas diante do espelho.

Há psicólogos que usam a terapia do riso.

Receitam, a par de outras orientações, que os pacientes vejam filmes de Carlitos, do Gordo e o Magro, dos Irmãos Marx, dos Três Patetas e outros especialistas em comédias tipo pastelão, para desopilar o fígado.

Não há tristeza que resista a boas gargalhadas.

E não se trata de mera especulação ou fantasia, nem de mero condicionamento.

Está demonstrado por pesquisadores que a risada libera endorfinas na corrente sanguínea, neurotransmissores que parecem possuir propriedades mágicas.

Melhoram a memória, a resistência, o sistema imunológico, e... também o estado de espírito, favorecendo o abençoado bom humor.

Portanto, leitor amigo, quanto mais riso, melhor.

Em qualquer situação, antes rindo que chorando.

Um companheiro recebia, sorridente, pessoas que compareciam ao velório de seu pai.

Alguém advertiu:

– Melhor você deixar de sorrir, pode pegar mal.

E ele:

– Meu pai estava com oitenta e nove anos.

Lutava contra um câncer havia cinco anos. Sofria muito. O desencarne foi uma bênção para ele. Por que, portanto, demonstrar uma tristeza que não sinto? Pelo contrário. Estou muito feliz, porquanto ele enfrentou com coragem e dignidade sua provação. Certamente estará muito bem na Espiritualidade, junto aos nossos familiares que o precederam.

* * *

Outro detalhe que merece nossa consideração, leitor amigo, é o purgante que nosso prezado farmacêutico deu à jovem.

Doenças, dificuldades, contratempos, que nos aborrecem tanto, funcionam na maior parte das vezes, como autênticos depurativos da alma, evitando que nos comprometamos em desvios perigosos.

Estivéssemos sempre conscientes disso, averíamos de enfrentá-los com serenidade, confiantes em Deus, dispostos ao esforço do Bem, sem reclamações e sorrindo sempre, liberando as mágicas endorfinas, para jamais perdermos a capacidade de ser felizes, mesmo na adversidade.

# FRATERNIDADE EM AÇÃO

Num velho barco pesqueiro, toda a tripulação foi contaminada por alimento deteriorado.

Manifestou-se o terrível botulismo.

Problema gravíssimo!

Morte certa, se não recebessem o soro salvador!

O barco estava em alto-mar, a milhares de quilômetros do centro médico mais próximo.

Usando precário equipamento, o capitão estabeleceu contato com um radioamador, em país próximo.

A partir daí formou-se imensa cadeia de boa vontade.

Conjugou outros operadores, laboratórios, médicos, autoridades, pilotos de aeronaves, serviçais humildes...

Dezenas de pessoas mobilizaram-se até que o precioso medicamento fosse entregue à tripulação.

Desceu em paraquedas sobre o barco, como bênção do céu.

E todos se salvaram!

* * *

É elementar, caro leitor: quando a fraternidade encontra abrigo nos corações, não há mal que lhe oponha resistência.

Numa empreitada qualquer, se estivermos sozinhos, teremos duas mãos; se nos unirmos a alguém, teremos quatro mãos.

Se formos uma multidão, haverá milhares de mãos entrelaçadas.

Ideal seria que esse darem-se as mãos não fosse marcado por episódios esparsos, heroicos, como o do velho barco pesqueiro, mas que constituísse o empenho permanente de qualquer agrupamento humano.

Imagine, leitor amigo, centenas de pessoas de boa vontade, a *invadir* uma favela, dispostas a se confraternizar com os favelados, a ajudá-los a superar suas dificuldades, a promover ali a educação, a assistência médica, a melhoria das condições de higiene...

Prodígios seriam alcançados, reduzindo drasticamente a criminalidade, a desnutrição, o analfabetismo. Melhorariam a qualidade e a expectativa de vida.

Como destaca a Doutrina Espírita, a miséria não é fruto da vontade de Deus; é resultante do egoísmo humano, da tendência de cada qual cuidar de si mesmo e o resto que se dane.

* * *

Certamente as pessoas que participaram do salvamento ficaram felizes com o resultado daquele maravilhoso exercício de fraternidade.

Se consultadas, estou certo de que afirmariam:

– Jamais sentimos alegria semelhante!

É o que todos experimentamos quando participamos de um evento dessa natureza.

Ora, amigo leitor, se há tanta alegria no *dar-se as mãos* eventualmente, não seria uma sábia opção fazê-lo permanentemente, dispostos a participar de entidades filantrópicas, onde muitas pessoas exercitam boa vontade para atender carências e infortúnios alheios?

Ensina a Doutrina Espírita que carregamos na Terra o peso de nossos comprometimentos com o erro, o vício, o desregramento, o mal, em vidas anteriores.

Estão neles as origens dos desajustes, tristezas e angústias que frequentemente nos oprimem.

Essa pesada carga de nosso pretérito será sempre aliviada, e muito, quando nos dermos as mãos para os serviços do bem.

Era isso que Jesus queria dizer ao proclamar, no *Sermão da Montanha:*

*Bem-aventurados os misericordiosos, porque alcançarão misericórdia.*

# O OBJETIVO ÚNICO DA VIDA

Na questão 860, de *O Livro dos Espíritos*, interroga Allan Kardec:

*Pode o homem, por sua vontade e por seus atos, evitar acontecimentos que deveriam realizar-se e vice-versa?*

Responde o mentor que o assiste:

*Pode, desde que esse aparente desvio possa caber na vida que escolheu. Além disso, para fazer o bem que lhe cumpre – único objetivo da vida – é permitido ao homem impedir o mal, sobretudo aquele que possa contribuir para a produção de um mal maior.*

Há nessa resposta material para volumoso livro.

De minha parte, gostaria de chamar sua atenção, leitor amigo, para incisiva observação ali contida.

O mentor espiritual está falando, com todas as letras, que a prática do Bem é *o objetivo único da vida.*

Um confrade questionava:

– Não haverá aqui um problema de filtragem mediúnica? Será unicamente para isso que existimos: praticar o Bem?!

A fim de entender essa colocação do mentor espiritual, consideremos que Deus não nos concedeu a vida por mero diletantismo.

Criados à Sua imagem e semelhança, segundo a expressão bíblica, deuses em potencial, somos instrumentos da Vontade Divina, coparticipantes na obra da Criação.

Mais cedo ou mais tarde, quando puros e perfeitos, dentro de milhares ou milhões de anos, dependendo de nosso esforço, também teremos missões gloriosas a cumprir, doadores de bênçãos, a enriquecer e sustentar a Vida onde estivermos.

* * *

Vale destacar que os Espíritos puros e perfeitos cumprem integralmente a suprema lei divina: o Amor.

Amar é querer o bem de alguém.

Consequentemente, o exercício pleno do Amor implica plena disposição em praticar o Bem.

Lembro-me de uma observação do Espírito Cairbar Schutel, o grande lidador espírita de Matão, pela mediunidade de Chico Xavier:

*A felicidade do Céu é socorrer a infelicidade da Terra.*

Jamais iremos tocar harpa no Céu, em permanente repouso, como pretendiam os teólogos medievais, o que, diga-se de passagem, não seria nada animador.

Ociosidade eterna está mais para inferno do que paraíso.

* * *

Uma das revelações mais gratificantes do Espiritismo diz respeito à nossa destinação final.

Não há escolhidos, almas eleitas por suposta deferência divina. Todos atingiremos a perfeição, quer queiramos ou não, porque essa é a vontade de Deus, que não falha jamais em seus objetivos.

Chegaremos um dia onde Jesus está, tanto quanto ele esteve onde estamos.

Atingida essa meta exercitaremos o bem incessante, a sustentar nossa perene comunhão com o Criador, integrados na Harmonia Universal, felizes para sempre.

Por isso, todos os mecanismos evolutivos a que estamos submetidos – a reencarnação, a infância, o lar, o relacionamento afetivo, a escola, a dor, a adversidade, a doença, a velhice, a morte – nada mais fazem senão amadurecer em nós a consciência de que é preciso participar da economia universal, exercitando o Bem sempre, adequando-nos às Leis Divinas e realizando-nos como filhos de Deus.

Aqueles que servem empolgados pelo ideal do Bem queimam etapas evolutivas, caminham mais depressa, atingem a santidade antes mesmo de serem sábios.

Na verdade revelam muito mais sabedoria do que arrogantes intelectuais que julgam detê-la. Estes, embriagados por altos voos da inteligência, perdem-se em discussões estéreis e raciocínios esdrúxulos, sem perceberem a suprema sabedoria que se exprime num gesto de bondade em favor do próximo, nossa ponte para Deus.

# CÉU E INFERNO

– Onde fica o Céu?

– Na consciência.

– E o inferno?

– Também.

– Como saber onde estou?

– Analise seus sentimentos.

– Sinto-me no inferno.

– Pensamento atormentado?

– Demônios na cabeça!

– Não é obrigado a conviver com eles.

– Como obter a transferência para o Céu?

– Não é preciso. Reforme o inferno.

– Expulso os demônios?

– Converta-os ao Bem.

# O CORPO E O ESPÍRITO

– Então, Chico, como vai?

– O corpo vai mal. Eu vou bem.

Essa resposta do médium àqueles que o cumprimentavam e desejavam saber de sua saúde, precária nos últimos tempos, resume toda uma grandiosa filosofia de vida.

O corpo é apenas a máquina que usamos no trânsito pela carne. Diga-se de passagem, maravilhosa, perfeita em suas finalidades.

Jamais os cientistas deixarão de encantar-se com esse incrível veículo de peças vivas, que nos faculta uma bolsa de estudos na escola da reencarnação.

De permeio, impõe-nos abençoado esquecimento do passado, a fim de que superemos paixões e fixações que precipitaram nossos desastres.

Aqueles que evocam o esquecimento do passado para criticar a reencarnação não se dão conta de como é importante essa transitória amnésia. Seríamos esmagados pelo peso de nossas faltas, se delas tomássemos conhecimento.

Como enfrentaríamos a indispensável reconciliação com desafetos corporificados em filhos, pais, irmãos, cônjuge, se tivéssemos plena consciência dos males que nos infligimos mutuamente?

Como assumir sem traumas maiores a vida atual com justaposição de incontáveis personalidades que exercitamos, como um ator incapaz de superar o impacto emocional de todos os papéis que desempenhou ao longo dos anos?

Aqueles que apontam o esquecimento do passado como um libelo contra a reencarnação não se deram ao trabalho de meditar sobre as implicações de uma recordação em plenitude.

* * *

Viajantes da eternidade em trânsito pela Terra, em princípio usamos a máquina física como quem desfruta de um automóvel de quilometragem zero.

A plenitude física ajuda-nos a enfrentar os desafios da jornada – escola, profissão, casamento, família, subsistência...

O problema está no uso indevido, nos arrastamentos, nas viciações, comprometendo a relação corpo/Espírito.

O comportamento de muitos, nessa fase, sugere inversão do breve diálogo com Chico Xavier, que abre estas considerações:

– Então, como vai?

– O corpo vai bem, o Espírito vai mal.

É lamentável. As pessoas perdem tempo, deixam de observar seus deveres, comprometem-se em desvios por *correr demais* nos arrastamentos da inconsequência.

* * *

Inexoravelmente, à medida que avança a quilometragem, desgasta-se o carro. É inevitável, dentro da programação biológica da raça humana, que se estende dos oitenta aos cem anos.

O depauperamento físico nos últimos tempos ajuda-nos a reduzir a velocidade, a conter o envolvimento com o imediatismo terrestre, preparando-nos para enfrentar o trânsito da morte.

No início ou no fim, imperioso sejamos sempre os condutores, sem excessos no princípio, nem desalento no fim.

O carro suporta por algum tempo os maus tratos, mas, se não tomarmos cuidado, enfrentaremos uma relação penosa conjugando corpo/Espírito.

– Como vai?

– O corpo vai mal. O Espírito também.

* * *

Se formos motoristas cuidadosos, se não cometermos excessos, haveremos de manter o controle sobre o *carro*, ainda que desgastado pelo uso. Conservaremos o bom ânimo e a alegria, mesmo quando estejamos avançando com dificuldade nos últimos quilômetros da jornada.

Para tanto, basta sustentar, acima de tudo, o empenho de aprender, combater mazelas, participar das lides da caridade, ajudar o próximo, cumprir nossos deveres, valorizar de forma consciente e esclarecida as oportunidades de edificação.

Nem arrastamento no início, nem desolação no fim.

Sempre bem o Espírito imortal.

Bem no início, quando o corpo tem plenitude de vitalidade.

Bem no fim, quando a máquina começa a ratear, anunciando que seu tempo útil está no fim.

Então poderemos repetir com Chico Xavier:
– O corpo vai mal, o Espírito vai bem!

# DAR AOS POBRES

Reza a sabedoria popular:

*Quem dá aos pobres empresta a Deus.*

A origem está num adágio, contido em *Provérbios*, na *Bíblia*.

*O que se compadece do pobre empresta ao Senhor, e Ele lhe recompensará o benefício* (19:17).

Os empresários deveriam considerar essa possibilidade.

Atender os pobres seria, talvez, o mais valioso de todos os investimentos. Que agente melhor credenciado para gerir o nosso dinheiro?

O próprio Criador!

Dinheiro investido na população carente – rendimento seguro, infalíveis recompensas, retorno enriquecido do capital aplicado, com as benesses da contabilidade divina.

Oportuno, portanto, abrir as burras, isto é, os cofres, em favor dos desvalidos.

Quem mais doar, mais receberá!

* * *

O Espiritismo é um desmancha-prazeres, mais exatamente, um desmancha negócios, porquanto esclarece que dar aos pobres não é mero investimento.

Somos convocados a fazê-lo, não para multiplicar nosso capital na Terra ou conquistar o Céu.

Há uma única e irrecusável motivação:

É o nosso dever!

Imperioso atender os pobres sem pensar em galardões.

Quando muito, cogitando de uma única recompensa:

A certeza do dever cumprido!

Talvez pareça pouco, meu caro leitor, mas lembre-se:

Sem o cultivo do Bem, sem o empenho em minorar as misérias humanas, jamais teremos paz.

A ausência dela, como você sabe, é a pior de todas as carências.

Sem ela de nada nos valerá ganhar o mundo.

Haverá sempre um gosto amargo de insatisfação em nossas realizações.

Em defesa da paz, portanto, vamos *emprestar a Deus,* não apenas o nosso dinheiro, mas também o nosso tempo, o nosso trabalho, a nossa dedicação, a nossa vida, atendendo aos apelos da solidariedade!

Somente assim seremos realmente ricos.

Ricos das bênçãos divinas!

Ricos de felicidade!

Ricos de paz!

# INVESTIMENTOS

– Como aplicar bem o dinheiro?

– Faça doações.

– Qual a vantagem?

– É um investimento.

– Para garantir o Céu?

– Para abençoar a Terra.

– Há bons rendimentos?

– Alegria e bem-estar.

– Por que é tão difícil?

– O egoísmo atrapalha.

– Como neutralizar o egoísmo?

– Investindo na compaixão.

– Em que instituição?

– No Banco do coração.

# UM ANO MARAVILHOSO

Diz Jesus (Lucas 4:18-19):

*O Espírito do Senhor está sobre mim, pelo que me ungiu para evangelizar os pobres. Enviou-me para apregoar liberdade aos cativos, dar vista aos cegos, pôr em liberdade os oprimidos e anunciar o ano aceitável do Senhor.*

Coletivamente, podemos dizer que o ano aceitável do Senhor foi aquele em que a mensagem de Jesus começou a ser transmitida, no ano trinta da Era Cristã, segundo a cronologia estabelecida.

Individualmente, será aquele em que estivermos

dispostos a aceitar Jesus em plenitude, com o empenho em praticar seus ensinamentos.

* * *

A orientação para essa vivência está contida nas excelências do *Evangelho*, que tem a sua síntese no *Sermão da Montanha*, o mais belo poema da Humanidade.

Nele temos o roteiro perfeito para cumprir a vontade de Deus e edificarmos o Reino Divino na Terra.

E o próprio *Sermão da Montanha* pode ser sintetizado, conforme a expressão de Jesus (Mateus, 7:12):

*Tudo o que quiserdes que os homens vos façam, fazei-o assim também a eles.*

Em favor dos homens, representados por familiares, amigos, vizinhos, colegas de trabalho e todos aqueles que cruzam nosso caminho, somos convocados a fazer o melhor, tanto quanto gostaríamos que eles o fizessem por nós.

Isso nos remete aos valores do perdão, da caridade, da solidariedade, da tolerância, da paciência e das demais virtudes evangélicas, que o Mestre não se cansou de ensinar e exemplificar ao longo de seu apostolado.

* * *

No empenho de servir os carentes de todos os matizes, há que considerar nossa integração em grupos de trabalho.

Aqueles que servem com eficiência, que produzem em benefício da coletividade, invariavelmente estão associados a outras pessoas, unidos por ideais comuns.

Há estímulos recíprocos em que nos beneficiamos e somos beneficiados, em relação ao serviço.

Se nos propomos, por exemplo, a visitar doentes num hospital, cumprindo solitariamente a tarefa, sempre haverá certo constrangimento na abordagem dos pacientes. Por outro lado, dificilmente sustentaremos a assiduidade.

Se integrados num movimento de solidariedade, haverá sempre a segurança do grupo e o estímulo dos companheiros a nos cobrarem a presença.

Podemos estar dispostos a atender eventualmente o pobre que bate à nossa porta, ajudar um colega de serviço, atender à necessidade de um vizinho, visitar um doente...

Mas será sempre algo por demais elementar para nos situar como legítimos servidores.

É preciso dar regularidade e constância a esse empenho.

Para tanto, a melhor alternativa é o Centro Espírita, a escola abençoada das Almas, onde, num primeiro momento, aprendemos a raciocinar como Espíritos imortais em jornada de aprendizado pela Terra.

Se houver empenho nesse mister, logo perceberemos que ali está também a nossa abençoada oficina de trabalho, onde, unidos em torno do ideal comum de servir, participaremos dos abençoados serviços da solidariedade que emprestam significado e objetivo à existência.

Integrando-nos na casa espírita, participando de suas campanhas, contribuindo para seus serviços, estaremos fazendo de cada ano de nossa vida um ano aceitável do Senhor, aquele ano maravilhoso em que, despertos para as realidades reveladas pela Doutrina Espírita, estejamos dispostos a arregaçar as mangas, buscando a glória de servir.

# AMAR SEM AMARRAR

Perguntam-me o que podemos fazer por familiares desencarnados, que saibamos não preparados para enfrentar o retorno à vida espiritual.

Três iniciativas são básicas.

Oração.

É um refrigério para as almas penadas, aquelas que se situam perplexas ante as realidades espirituais que insistiram em ignorar no desdobramento de suas experiências.

Quando oramos pelos desencarnados, não só

os beneficiamos com vibrações balsamizantes, como evocamos, em favor deles, a assistência dos amigos espirituais.

Serenidade.

Os recém-desencarnados permanecem em estreita sintonia com os familiares e são muito sensíveis às suas vibrações.

O desespero, a revolta, a inconformação, não apenas colocam em dúvida nossa crença, como atingem os que partiram, exacerbando suas perplexidades e sofrimentos.

Normalidade.

Se após sofrer a amputação de um braço ou perna, num acidente, alimentamos indefinidamente o sentimento de perda, inconformados, fatalmente estaremos resvalando para indesejáveis estados de depressão e desequilíbrio.

A morte de um ente querido é uma amputação psicológica. Sentiremos falta, tanto maior quanto mais fortes os elos do amor, mas é preciso que nos habituemos a viver sem ele, conscientes de que devemos seguir em frente, em nosso próprio benefício.

Sem esse empenho, fatalmente nos desajustaremos, com reflexos negativos no ânimo daquele que partiu.

* * *

Não raro, ao invés de o desencarnado perturbar o encarnado de quem se aproxima, carente e sofrido, ocorre o contrário.

Pode parecer inusitado, amigo leitor, mas a Doutrina Espírita nos fala de obsessões de encarnados sobre desencarnados.

Lembro-me de Roberval, modesto servidor público, pai de três filhos, casado com Ifigênia, mulher de bons princípios, preocupada com a família, mas extremamente apegada ao marido, amor possessivo.

Era *Roberval pra cá, Roberval pra lá*, em efusões amorosas extremadas que acabavam por aborrecê-lo, tirando-lhe a liberdade.

Não fosse a sua índole pacata e haveria sérios conflitos entre eles.

Se o mel é demais, fatalmente enjoa.

Quando Roberval desencarnou, repentinamente, vitimado por um enfarto, foi um transtorno para Ifigênia.

Não se conformava com a morte do bem-amado, razão de sua existência.

Lamuriava-se em oração, questionando os desígnios divinos.

E chamava pelo marido.

– Ah! Roberval, onde anda você, minha vida?

E, dia e noite, continuava a história do *Roberval pra cá, Roberval pra lá!*

Não dava sossego para o pobre marido, mesmo depois de morto, porquanto suas vibrações o atingiam em cheio, reclamando sua presença, convocando-o ao lar.

Tanto se perturbou que os benfeitores espirituais decidiram interná-lo em nova encarnação.

Foi a solução para livrá-lo da pressão desajustada da esposa inconformada.

Atendendo à afinidade e à disponibilidade, ele reencarnou como filho de sua filha.

Por sugestão insistente de Ifigênia, deram o nome do avô à criança.

Roberval reencarnado recebeu o mesmo nome.

Como a jovem mãe tinha compromissos profissionais, decidiu confiar a criança à avó enquanto ausentava-se.

Pobre Roberval!

O dia todo se via às voltas com os excessivos zelos de Ifigênia, agora sua avó.

*Roberval pra cá, Roberval pra lá!*

Amor que amarra é egoísmo.
É preciso amar sem prender.
Ótimo quando agimos assim.
Nossos amados partem em paz.
Em paz ficamos nós.

Oportuno lembrar, a propósito, notável poema *Amor*, de Khalil Gibran:

*Amai-vos um ao outro,*
*mas não façais do amor um grilhão.*
*Que haja, antes, um mar ondulante*
*entre as praias de vossa alma.*
*Enchei a taça um do outro,*
*mas não bebais da mesma taça.*

*Dai do vosso pão um ao outro,*
*mas não comais do mesmo pedaço.*
*Cantai e dançai juntos,*
*e sede alegres, mas deixai cada*
*um de vós estar sozinho.*
*Assim como as cordas da lira*
*são separadas e, no entanto,*
*vibram na mesma harmonia.*

*Dai vosso coração, mas não o confieis*
*à guarda um do outro.*
*Pois somente a mão da Vida*
*pode conter vosso coração.*
*E vivei juntos, mas não vos*
*aconchegueis demasiadamente.*
*Pois as colunas do templo*
*erguem-se separadamente.*
*E o carvalho e o cipreste não crescem*
*à sombra um do outro.*

# PAIXÃO

– Por que aconteceu o divórcio?

– Faltou amor.

– Eram apaixonados.

– Paixão é apenas ardência sexual.

– Não é suficiente para segurar a união?

– Você gosta de doce?

– Adoro.

– Por que lhe é tão desejável?

– É agradável ao paladar.

– E se azedar?

– Desisto dele.

– O mesmo acontece com uniões passionais.

– Azedam?

– Mais que limão!

# BONDOSA CARCEREIRA

Em inúmeras oportunidades, reportando-se aos problemas cármicos, Chico Xavier, com a sabedoria e a simplicidade de sempre, explicava:

– Quando nos empenhamos no Bem, o braço da Justiça Divina é contido pelo braço da Divina Misericórdia.

Que somos todos devedores, com extensa *ficha criminal*, composta por delitos do passado, não padece dúvida.

Caso contrário não estaríamos morando nesta *prisão de expiação e provas*, que é a Terra, vigiados por carcereira exigente, zelosa, severa, incorruptível, cujo nome nos faz tremer: a senhora Dor!

Ela é implacável. Não deixa passar nada.

Ao menor deslize, nos castiga, impondo-nos males variados.

Tem memória de elefante.

Faltas que cometemos há séculos, das quais não guardamos a mínima lembrança, inspiram suas ações corretivas, passando-nos a perturbadora ideia de que estamos sendo injustiçados.

Trata-se de um equívoco, porquanto se há uma virtude que não lhe podemos negar é a equidade.

Suas sanções correspondem, milimetricamente, ao que merecemos.

Mais que isso, atendem ao que necessitamos.

Age não apenas para que resgatemos dívidas, mas, também, para que evitemos novos comprometimentos.

De quebra, a *danada* acaba por abrandar nosso coração, aproximando-nos de Deus.

* * *

Há quem estranhe a afirmativa de que por aqui transitamos com o peso de um passado delituoso, de erros, crimes, vícios, comprometimentos de pretéritas existências.

Verdadeiramente estranhável, meu caro leitor,

seria aqui estarmos a sofrer sem razão, chamados a pagar o que não devemos.

É um questionamento perfeitamente lógico que deveria ser feito por aqueles que imaginam Deus a retirar nossa alma do nada, em passe de mágica, naquele momento em que um espermatozoide esperto atingiu um óvulo receptivo.

Se admitirmos a ideia de que fomos criados junto com nosso corpo fica complicado explicar por que há tanto sofrimento na Terra, distribuído de forma aleatória, mais para uns que para outros, a abranger a condição mental, racial, intelectual, moral, espiritual, social e outras mais, sugerindo extensa e trágica poesia de versos rimados em sufixo *al*.

E há, ainda, o absurdo da condenação irremissível, para sempre, após a morte, com a mesma carcereira implacável a tocar fogo em nossa alma, atormentando-nos com chamas que não se extinguem e jamais nos consomem!

* * *

Sempre bom lembrar, à luz do Espiritismo: os males que nos afligem sustentam-se nas fragilidades, próprias do estágio evolutivo em que nos encontramos.

São de *superfície*, sustentados pelo mal maior,

na intimidade de nossa alma: o egoísmo, excrescência residual que retemos indevidamente, originária dos tempos em que, mero princípio espiritual, transitávamos pela animalidade instintiva, em recuadas eras.

O egoísmo até que nos ajudou no passado, em estágios primários de evolução.

Hoje nos atrapalha.

Imagine um barco usado para atravessar um pântano. É extremamente útil. Porém, quando o barqueiro atinge a planície, imperioso deixá-lo. Não pode carregá-lo sobre os ombros.

Exatamente o que fez o egoísmo por nós no passado, quando enfrentamos as águas turvas da inconsciência.

Hoje ele nos atrapalha.

Por isso, exercitando o altruísmo, o pensar nos outros, haverá benéfica repercussão em nossa alma, favorecendo a saúde, o equilíbrio, a paz.

Na verdade, quando nos empenhamos nesse esforço há abençoada troca de carceragem. Deixamos de ser vigiados pela Dor, substituída pela Misericórdia, bondosa carcereira, disposta a relevar o passado delituoso em favor de um presente tranquilo e promissor futuro, com significativa redução nas penalidades a que estamos sujeitos.

Sempre bom lembrar, nesse particular, a observação feliz de Chico Xavier:

– Quando nos empenhamos no Bem, o braço da Justiça Divina é contido pelo braço da Divina Misericórdia.

# FAZER A DIFERENÇA

O turista andava pela praia quando viu um jovem que recolhia estrelas-do-mar na areia, trazidas pela maré, e as jogava de volta ao oceano.

Curioso, perguntou-lhe a razão de sua iniciativa.

– O sol está muito quente. Se ficarem na areia morrerão. O turista admirou-se.

– Meu jovem, existem vários quilômetros de praia nesta região e milhares de estrelas-do-mar espalhadas na areia. Você joga umas poucas de volta ao oceano, mas a maioria vai perecer. Que diferença faz?

O moço pegou mais uma, atirou-a e respondeu:

– Para essa eu fiz a diferença.

Naquela noite, o turista revirou-se no leito, sem conseguir conciliar o sono, impressionado com a iniciativa do jovem.

Na manhã seguinte juntou-se a ele.

E jogavam os indefesos animais de volta ao oceano.

Em algum tempo, imitando o seu exemplo, ao longo das praias, dezenas de pessoas faziam a diferença para milhares de estrelas-do-mar que retiravam das areias escaldantes.

* * *

A história ilustra bem a condição de pessoas situadas abaixo da linha da pobreza, que Victor Hugo chamava *miseráveis* e hoje, eufemisticamente, denominamos *excluídos.*

Vivem marginalizadas pela doença, a subnutrição, a velhice, a ignorância, o desemprego, os problemas de comportamento...

Os dados são controversos.

Afirmam os pessimistas que no Brasil somam perto de trinta milhões.

Os otimistas defendem que não passam de quinze milhões.

Num ponto estão de acordo – são milhões!

Muitos vivem na periferia da cidade em que moramos, sustentando um dos mais lamentáveis contrastes da vida social:

De um lado a população ativa, integrada na comunidade, com recursos para prover a própria subsistência, desfrutando de relativo conforto.

De outro, gente que passa privações angustiantes, que sofre limitações variadas, que não tem acesso aos recursos elementares – alimentação, saúde, educação, moradia, emprego...

Ao olhar desavisado, parecerá inútil socorrer este ou aquele, fazer algo em benefício de alguns.

– Que diferença faz se há tantos?

Mas para aquele que atendemos, aquele que ajudamos, incutindo-lhe fé na Humanidade e esperança no futuro, nossa iniciativa fará enorme diferença.

* * *

Nesse particular há algo que devemos ponderar.

Ainda que nos pareça possível conviver sem dramas de consciência com as misérias alheias, elas repercutem em nossa vida, causando-nos sérios embaraços.

E não me refiro a problemas como a violência, que se derrama sobre os centros urbanos, conforme cresce a miséria na periferia.

Trata-se de algo imponderável, decisivo em relação à nossa vida.

Ensina velho aforismo que quando pisamos uma flor afetamos uma estrela.

É uma imagem poética que exprime a misteriosa comunhão existente entre todos os seres da criação. Influenciamos e somos influenciados.

Dentro de alguns séculos ou muitos milênios – depende de nós – o Evangelho deixará de ser uma utopia celeste para converter-se em realização terrestre.

Então, antropólogos empenhados em estudar o homem de nosso tempo ficarão estarrecidos com a omissão da sociedade diante desses problemas.

E perguntarão:

– Será que não sabiam? Não tinham consciência de que jamais haveria paz na Terra enquanto a legitima fraternidade não estabelecesse a comunhão entre todos os homens, a fim de que bens e males compartilhados espontaneamente tornassem suaves as dores e completas as alegrias?

* * *

Aqueles que buscam essa comunhão desfrutam

de inefável bem-estar. É que mãos servindo funcionam por abençoadas antenas, colocando-nos em sintonia com as fontes da vida para a captação das bênçãos de Deus.

Se com o exercício da caridade fazemos a diferença para aqueles a quem ajudamos, salvando-os da exclusão, eles também fazem a diferença para nós, salvando-nos das angústias existenciais que caracterizam os que se fecham voluntariamente nesse sarcófago que se chama egoísmo.

# CIDADANIA

Fala-se muito, na atualidade, sobre cidadania.

Ser cidadão é estar consciente dos próprios direitos, como estabelece o artigo 5º da Constituição Brasileira:

*Todos são iguais perante a lei, sem distinção de qualquer natureza, garantindo-se aos brasileiros e aos estrangeiros residentes no País a inviolabilidade do direito à vida, à liberdade, à igualdade, à segurança e à propriedade...*

Tais conquistas são fundamentais, sem dúvida.

Podemos e devemos lutar por elas.

Podemos e devemos melhorar as condições de vida de uma comunidade, atendendo a elementares direitos de seus membros.

* * *

Há outro passo, mais importante.

Ser cidadão não é apenas reivindicar direitos.

É, sobretudo, assumir deveres.

É o que nos diz a questão 877, de *O Livro dos Espíritos:*

*Da necessidade que o homem tem de viver em sociedade, nascem-lhe obrigações especiais?*

*Certo, e a primeira de todas é a de respeitar os direitos de seus semelhantes. Aquele que respeitar esses direitos procederá sempre com justiça. Em o vosso mundo, porque a maioria dos homens não pratica a lei de justiça, cada um usa de represálias. Essa a causa da perturbação e da confusão em que vivem as sociedades humanas. A vida social outorga direitos e impõe deveres recíprocos.*

A observação do mentor espiritual está bem de acordo com a legislação de qualquer país, instituindo deveres que visam sustentar a ordem e o bem-estar dos cidadãos.

Nem é preciso um conhecimento mais amplo das leis para saber o que nos compete fazer, partindo do dever fundamental de não fazer nada que atazane ou prejudique o próximo.

Essa orientação não é nova.

Desde os Dez Mandamentos, de Moisés, sabemos o que não nos é lícito – matar, trair, mentir, cobiçar, furtar...

Observada essa orientação elementar, eliminaríamos a maior parte dos males que afetam a Humanidade.

* * *

Há um passo adiante, no caminho da verdadeira cidadania, proposto por Jesus, quando nos convida a fazer pelo próximo o bem que desejamos para nós.

Observe, leitor amigo: simplesmente não fazer nada que afete o semelhante pode ser uma forma velada de egoísmo:

– Cada um na sua. Não prejudico ninguém e não quero que ninguém me aborreça!

Com semelhante comportamento talvez tivéssemos na Terra a eliminação do mal originário da iniciativa de alguns, mas permaneceria o mal por omissão de muitos.

Posso não ser culpado pela existência de favelados, não exercitei nenhum mal para que isso acontecesse. Guardo, porém, a culpa por não estar exercitando o bem, a fim de que sejam eliminadas as favelas.

A verdadeira cidadania não se exprime apenas na observância de leis humanas, mas, sobretudo, no cumprimento das Leis Divinas, que pedem nossa integração em organizações que visam ao bem-estar social, sejam associações de moradores, clubes de serviço, centros comunitários, instituições filantrópicas e religiosas, contribuindo para uma sociedade consciente, ativa e responsável.

* * *

Um amigo espírita reclamava:

– É complicado ser espírita, porquanto a Doutrina *buzina* o tempo todo que é preciso *reformar nossa casa mental*, cultivar bons pensamentos, falar sempre a verdade, não fofocar, não fazer nada que incomode o próximo... E mais: é preciso que nos incomodemos com suas carências e necessidades, dedicando-lhe nossa atenção, nosso esforço em seu benefício. Quando pensamos em reconfortante ociosidade, após tanta labuta, vem a recomendação de que é preciso estudar, ampliar horizontes, aprender sempre! Haja disposição!

Realmente não é fácil, porquanto semelhantes iniciativas colidem com a tendência ao acomodamento que caracteriza o comportamento humano, no atual estágio evolutivo.

É preciso admitir, porém, que não estamos na Terra em jornada de férias. O objetivo prioritário de nosso trânsito na carne chama-se evolução, com o empenho por superar mazelas e imperfeições.

Isso obviamente exige trabalho, dedicação, aprender sempre, renovar sempre, crescer sempre em espiritualidade e intelectualidade.

Talvez tenhamos dificuldade em princípio, por não ser exatamente o que gostaríamos de fazer. Mas se insistirmos logo aprenderemos a gostar do que fazemos. Afinal, em última instância, iniciativas assim consagram a vocação do Espírito imortal, criado à imagem e semelhança de Deus, destinado à perfeição.

Então, leitor amigo, como dizia velho *slogan* de antigo programa de televisão, *o céu será o nosso limite!*

# À FRANCESA OU À BRASILEIRA?

*"... Auto do nascimento de Denizard Hippolyte-Léon Rivail, nascido ontem às 7 horas da noite, filho de Jean Baptiste-Antoine Rivail, magistrado, juiz, e Jeanne Duhamel, sua esposa, residentes em Lião, Rua Sala n° 76. O sexo da criança foi reconhecido como masculino. Testemunhas maiores: Syriaque-Frédéric Dittmar, diretor do estabelecimento das águas minerais da Rua Sala, e Jean-François Targe, mesma Rua Sala, à requisição do médico Pierre Radamel, Rua Saint-Dominique n° 78. Feita a leitura, as testemunhas assinaram, assim como o Maire da região do Sul. O presidente do Tribunal (assinado); Mathiou."*

Temos aqui um extrato da certidão de nascimento de *Denizard Hippolyte-Léon Rivail*, nascido em Lion, na França, no dia 3 de outubro de 1804.

Aportava ao planeta aquele que seria o Codificador da Doutrina Espírita, consagrado pelo cognome Allan Kardec.

O Espiritismo floresceu na França com Kardec.

Feneceu nos anos que se sucederam, após seu retorno à espiritualidade.

Transplantado para o Brasil, floresceu novamente, num impulso irresistível, crescendo sempre.

Embora as estatísticas oficiais revelem que apenas perto de três por cento dos brasileiros são declaradamente espíritas, seus princípios são acolhidos com simpatia.

Metade da população admite a reencarnação; considerável parcela aceita o intercâmbio com o Além, multidões buscam auxílio nos Centros Espíritas.

Temos até a curiosa situação do *espiritólico*, o cidadão que se diz ligado à igreja de Roma no recenseamento, mas é assíduo frequentador do Espiritismo.

Não dispensa o passe magnético no Centro Espírita, assim como a hóstia na igreja.

Noutro dia, uma senhora perguntou se eu via algum inconveniente nesse comportamento.

Respondi que não, atendendo à liberdade de consciência que a Doutrina Espírita tanto preza.

Forçoso, porém, considerar dois problemas:

O padre de sua igreja certamente não ficaria satisfeito. Talvez não resistisse à tentação de alertá-la quanto ao perigo de acender uma vela para Deus e outra para o diabo que, julgam os menos avisados, seria o mentor do Centro Espírita.

E há incompatibilidade de princípios.

Embora todas as religiões se identifiquem na busca de Deus, os caminhos são diferentes, a começar pelo empenho que a Doutrina Espírita faz no sentido de nos liberar de ritos e rezas, enfatizando o essencial: a autorrenovação, o empenho por superar mazelas e imperfeições.

Inútil a mera frequência, a comunhão, a hóstia, a crença em Jesus, se o crente não estiver imbuído desse propósito.

* * *

Há, também, quem pergunte por que o Espiritismo vem florescendo no Brasil, depois de ter fenecido na França?

É simples:

A mentalidade europeia privilegiou o aspecto científico, buscando apenas o fenômeno, que impressiona o cérebro, mas com pouca repercussão no coração.

Passada a fase da fenomenologia, cultivada mais por diletantismo que por legítimo interesse em decifrar os enigmas da vida, perdeu-se a mensagem no continente europeu.

No Brasil, por influência de grandes missionários, como Bezerra de Menezes, Eurípedes Barsanulfo e Francisco Cândido Xavier, privilegiou-se o aspecto religioso, naquilo que a religião tem de melhor – a busca de Deus pelo empenho de servir o próximo, no cultivo da solidariedade.

Bem de acordo com os princípios espíritas, não assimilados pelos franceses.

Veja-se, por exemplo, em *O Livro dos Espíritos*, a questão 642 que deveria ser o nosso breviário.

Deveríamos lê-la todos os dias, buscando inspiração para melhor aproveitamento das horas:

Pergunta Kardec:

*Para agradar a Deus e assegurar sua posição futura, bastará ao homem não praticar o mal?*

Resposta incisiva:

*Não; cumpre-lhe fazer o bem no limite de suas*

*forças, porquanto responderá por todo mal que haja resultado de não haver praticado o Bem.*

Em sua origem latina o vocábulo religião vem de *religar* ou *ligar a Deus.*

A Doutrina Espírita demonstra que não há outra maneira de nos ligarmos a Deus, senão ligando-nos ao próximo, fazendo por ele todo o bem ao nosso alcance.

Essa é a religião espírita.

Milhões de adeptos e simpatizantes que assimilam essa mensagem fazem a expansão do Espiritismo, que é hoje, no Brasil, sinônimo de caridade.

* * *

Aqueles que privilegiam o fenômeno, que buscam no Espiritismo o suposto aspecto mágico, movidos pelo interesse em receber benefícios, logo se afastam.

Já os que desejam algo mais, atentos à sublimidade da mensagem de renovação que ressalta de seus conceitos, fatalmente integram-se, com a alegria de quem encontrou o caminho para a realização de seus mais ardentes sonhos de felicidade e paz.

Portanto, se pretendemos bem aproveitar o ensejo de edificação que se nos apresenta, há algo que devemos definir:

Somos espíritas à francesa ou à brasileira?

# VERTICALIZAÇÃO

Comentário de Chico Xavier:

– A dor projeta-se verticalmente e a alegria estende-se horizontalmente. O sofrimento se lança para o Alto. Por isso é mais fácil encontrar Deus na dor do que na alegria.

Poucas palavras, um oceano de reflexões.

Costumo dizer que a dor é o sino de Deus. Quando tange, logo nos pomos de joelhos.

Nesses momentos, a fé, a crença irrestrita em Deus e nos Seus desígnios é o grande alento das almas sofredoras, que enfrentam em grau superlativo os tormentos da existência.

A mãe que chora o filho natimorto.

O acidentado com sequelas limitadoras.

O paciente às voltas com grave enfermidade.

O operário demitido.

A mulher traída pelo cônjuge.

O idoso relegado ao abandono.

Conservando o bom ânimo, após perder todos os seus bens, a família e a saúde, proclama Jó, entregando-se ao Senhor (Jó, 1:21):

*Deus deu, Deus tirou!*
*Bendito seja o seu santo nome!*

Quando aceitamos o inevitável, apoiados na Misericórdia Divina, afastados permanecerão o desânimo e o desalento.

É o que proclama o apóstolo Paulo (Romanos, 8:31):

*Se Deus é por nós, quem estará contra nós!*

* * *

O problema é que geralmente as pessoas têm a *fé precária* dos dias tranquilos.

Quando vem a noite das provações e se desenha o temporal da adversidade; quando a fé deveria brilhar com mais intensidade, iluminando os caminhos e aquecendo o coração, eis que ela bruxuleia.

É que raros têm a elevação espiritual de um Jó, de um Paulo de Tarso. Neles a fé era um sentimento profundamente entranhado, edificação inabalável, capaz de enfrentar os vendavais, por mais terríveis se apresentassem.

Para que conquistemos a *fé sentimento*, o caminho está na aquisição da *fé conhecimento*.

Nesse particular, para acalmar nossas inquietações, só a Doutrina Espírita, com o enunciado de leis divinas como a Reencarnação e a Lei de Causa e Efeito, revelando que os males que enfrentamos hoje estão associados ao mal que praticamos ontem, em existências anteriores.

Assim, talvez:

A mãe que chora o filho natimorto hoje, comprometeu-se no aborto ontem.

O acidentado que ficou com sequelas limitadoras foi o marginal que se divertia torturando suas vítimas.

O portador de doença grave de cura problemática eliminava seus desafetos por envenenamento.

O trabalhador perseguido pelo desemprego foi o patrão cruel que explorava seus servidores, rápido em demiti-los sempre que não correspondiam aos seus interesses.

A esposa que se depara com a traição do cônjuge cultivava o adultério.

O idoso negligenciado pela família abandonou seus filhos.

* * *

Obviamente, leitor amigo, não estou pretendendo um dicionário de identificação das defecções do passado com base nos males do presente. Apenas lhe ofereci alguns exemplos.

As situações e as responsabilidades variam ao infinito, e as consequências de nossos erros estão relacionadas com nosso grau de evolução, compreensão e discernimento.

A regra é simples: quanto maior o conhecimento, a noção do bem e do mal, do certo e do errado, do que devemos ou não fazer, mais amplas as nossas responsabilidades, mais severas as sanções de nossa própria consciência.

O grande benefício que a Doutrina Espírita nos oferece é justamente essa compreensão de que tudo tem uma razão de ser.

Conforme ensinava Jesus, os espinhos de hoje representam a colheita do que semeamos no passado.

Compete-nos melhorar a semeadura hoje para que colhamos bons frutos amanhã.

O conhecimento sustenta nossa fé nos momentos difíceis e nos estimula ao desenvolvimento de nossas potencialidades morais, para que um dia tenhamos a fé como sentimento profundo e inabalável.

Então, já não precisaremos da dor para nos aproximar de Deus.

Permaneceremos Nele, tanto quanto Ele está em nós!

# ANSIEDADE

– Como vencer a ansiedade?

– Como desfazer a escuridão?

– Acendendo uma luz.

– Então você sabe como superar a ansiedade.

– Não sei como acender essa luz.

– Como produzir fogo usando dois gravetos?

– Devo atritá-los até que entrem em combustão.

– Faça o mesmo com a ansiedade.

– Com o que atritá-la?

– Com o conhecimento.

– Estudo?

– Reflexão.

– Conhecer a vida?

– Conhecer a si mesmo.

# CONSCIÊNCIA REENCARNATÓRIA

Avançam as pesquisas sobre a reencarnação.

Há incontáveis livros publicados, particularmente na Europa e nos Estados Unidos.

Envolvem aspectos variados, com destaque para as reminiscências espontâneas.

É significativo o número de pessoas que se recordam de vidas passadas. Algo ponderável, principalmente por envolver, geralmente, crianças sem nenhum interesse ou capacidade para forjar histórias fantásticas.

Por outro lado, a Terapia das Vivências Passadas (TVP) coloca médicos e psicólogos em contato com vidas anteriores dos pacientes, acumulando evidências e farto material para pesquisa.

Dizia-nos um psicólogo:

– Já não tenho dúvidas sobre a Reencarnação. Eu a vejo, clara, inconfundível, nas reminiscências induzidas, em que meus pacientes descobrem, surpresos, acontecimentos de ontem que estão repercutindo hoje em seu psiquismo, originando males variados. Eles superam muitos problemas a partir dessas experiências. Passam a lidar melhor com fobias e desajustes diretamente relacionados.

Não há como negar o peso da reencarnação na balança de nossa economia psíquica.

Freud estava no caminho certo quando concebeu que nossos males guardam relação com experiências traumáticas do passado. Infelizmente, por não aceitar a reencarnação, resvalou para a fantasia em suas conclusões.

* * *

Para nós, espíritas, o avanço das pesquisas sobre a reencarnação constitui motivo de satisfação.

Gratificante ver nossa crença disseminada, nossos princípios evidenciados, influenciando os profissionais de saúde, a caminho de uma medicina psicossomática, interessada em desvendar os mistérios do Espírito imortal para resolver os problemas do homem perecível.

Consideremos, entretanto:

Não basta constatar uma realidade.

Imperioso que repercuta em nossa vida.

Não basta admitir ideias.

É preciso cultivar ideais.

A reencarnação não é apenas um princípio lógico e racional, que explica as diferenças humanas.

Fundamental ver nela um precioso estímulo, ajudando-nos a superar nossas próprias limitações.

Para tanto, é preciso formar uma consciência reencarnatória, a convicção de que estamos em trânsito pela Terra, numa viagem que se iniciou há milênios antes do berço, e se estenderá rumo ao infinito, além-túmulo.

Não podemos nos limitar aos interesses materiais, à satisfação de nossos desejos em relação ao imediatismo terrestre, visando sucesso, conforto, riqueza, prazer...

Acima de tudo, cogitemos da edificação de nossas almas, o empenho em superar imperfeições, valorizando o ensejo de aprendizado da jornada humana.

***

Oportuno indagar, diariamente, a nós mesmos:

O que cultivo – iniciativas, desejos, interesses, atividades – diz respeito a minha condição de Espírito imortal?

Estou crescendo em conhecimento, responsabilidade e discernimento?

Ou tenho privilegiado o homem perecível, a perseguir ilusões?

Fundamental essa análise introspectiva.

Há algo de vital importância em jogo:

O nosso futuro!

# NOSSA MISSÃO

Costuma-se situar por missionários os Espíritos que vêm ao Mundo para inovar, desvendar, fazer caminhar a Humanidade, rumo a gloriosa destinação.

Leonardo da Vinci, Rafael, Rembrandt, na Arte.

Sócrates, Platão, Kant, na Filosofia.

Paulo de Tarso, Lutero, Francisco de Assis, na Religião.

Pitágoras, Einstein, Newton, na Ciência.

Sem vanguardeiros desse tipo, a Humanidade continuaria a evoluir, que essa é a sua abençoada sina, rumo à perfeição, mas seria mais demorado, mais difícil.

São os *batedores* do progresso, que seguem à frente, mostrando o caminho.

* * *

No meio espírita temos em Allan Kardec o insigne missionário, que desenvolveu a metodologia necessária para o intercâmbio com o Além, facultando-nos as respostas para os porquês da existência.

A História lhe fará justiça, no futuro, situando-o como uma das maiores figuras da Humanidade, destaque inconteste do milênio que passou.

Quem duvide disso, recorde que muitos séculos se passaram antes que Jesus deixasse a condição de obscuro profeta judeu e fosse reconhecido como a figura mais importante da Humanidade.

A propósito, é sempre oportuno lembrar que não há na Terra ninguém isento de compromissos.

Nesse aspecto, somos todos missionários, convocados a inadiáveis missões:

- Combater o egoísmo.
- Exercitar o Bem.
- Harmonizar a família.
- Cultivar valores espirituais.
- Desfazer desafetos.
- Eliminar vícios.
- Crescer intelectualmente.
- Progredir moralmente.

Seremos bem-sucedidos se não descuidarmos da missão mais importante – nossa própria renovação, a partir do empenho em superarmos mazelas e imperfeições.

No relacionamento humano, talvez o maior de todos os desafios a que somos convocados, seria oportuno evocar sugestiva recomendação do apóstolo Paulo, na *Epístola aos Efésios* (4:26):

...não se ponha o Sol sobre a vossa ira.

Jamais permitamos que reações negativas, em face de ofensas e atribulações, tomem nosso coração, ultrapassando os limites do dia, com o que teremos muitas dificuldades para a observância de nossos compromissos.

Melhor mesmo é jamais nos irarmos, cultivando o perdão, a capacidade de compreender e relevar aqueles que nos causem prejuízos morais ou materiais.

* * *

Certamente, se viesse à Terra em nova e grandiosa missão, ante o conhecimento atual, veiculado pela Doutrina Espírita, Paulo avançaria ainda mais, recomendando:

*Não se ponha o Sol sobre a vossa indiferença.*

Nunca deixemos passar o dia sem algo acrescentar aos nossos patrimônios espirituais, no esforço do Bem, no empenho do aprendizado, no exercício de espiritualidade, na luta ingente contra nossas imperfeições.

Somente assim estaremos cumprindo a mais importante de todas as missões: nossa adequação às leis divinas.

# SALVAÇÃO

Um amigo questionava:

– Não é o Espiritismo salvacionista, como todas as religiões tradicionais, que se apresentam por depositárias da redenção, livrando o Espírito das penas eternas, no inferno, em favor de perene felicidade no Céu?

Resposta negativa.

A Doutrina Espírita deixa bem claro que ninguém precisa ser salvo, por uma simples razão: ninguém está perdido, nem ameaçado de confinamento perene em regiões infernais.

Vários fatores devem ser levados em consideração, observados os atributos divinos:

• Onipotência.

Se Deus é o senhor supremo, que tudo pode, evidentemente pode evitar que nos precipitemos em tormentos eternos. Uma só alma que se perdesse e Deus teria falhado, revelando-se, com perdão da palavra, incompetente.

• Justiça.

O mais elementar princípio de direito determina que a extensão da pena não pode ultrapassar a natureza do crime. Quem rouba um pão não pode ser condenado à prisão perpétua. Por pior que seja o criminoso, por maiores que sejam as atrocidades cometidas, a perdição eterna, em perene sofrimento, seria algo inconcebível.

• Imanência.

Deus está em tudo e em todos. É a inteligência cósmica do universo, o cérebro criador. Está, portanto, na intimidade de cada um de seus filhos. Está presente mesmo naqueles que enveredam por caminhos de violência e crime, trabalhando seus sentimentos, para que retornem aos roteiros do Bem.

Há hoje sistemas de monitoramento, que permitem acompanhar o deslocamento de uma viatura e, inclusive, localizá-la rapidamente, em caso de roubo. Pode-se dizer, portanto, que o veículo monitorado nunca estará perdido.

Algo semelhante ocorre com a alma humana. Por mais longe nos levem os nossos desvios, estaremos sempre nos domínios de Deus, monitorados pelo Pai Celeste, presença imanente em nós.

Podemos nos afastar de Deus, habilitando-nos ao inferno na própria consciência, mas Deus jamais se afasta de nós, trabalhando por nossa transferência para o Céu.

* * *

Os contestadores argumentam que a ideia de que ninguém está perdido conflita com o princípio segundo o qual Jesus foi o salvador, que derramou seu sangue na cruz para lavar os pecados humanos e nos redimir.

Se não estamos perdidos, na obra da Criação, se todos fomos criados para a perfeição e lá chegaremos, quer o queiramos, quer não, porque essa é a vontade de Deus, que não falha jamais em seus objetivos, evidentemente não precisamos de um salvador.

Nem por isso a figura de Jesus é menos importante ou menos decisiva em nosso benefício.

Imaginemos uma viagem árdua, vadeando

rios e montanhas, pelo Amazonas. Viagem longa e cansativa, onde estaremos sujeitos a nos equivocar nos caminhos, atrasando a jornada. Mas, se tivermos um mapa, será muito mais fácil.

O Evangelho é o roteiro celeste para que transitemos com segurança pelos caminhos da vida.

Jesus foi o cartógrafo abençoado, a nos presentear com o maravilhoso mapa que facilita e abrevia nossa jornada para a perfeição.

Allan Kardec reconhece isso, nos comentários à questão 625, de *O Livro dos Espíritos.*

*Para o homem, Jesus constitui o tipo da perfeição moral a que a Humanidade pode aspirar na Terra. Deus nô-lo oferece como o mais perfeito modelo e a doutrina que ensinou é a expressão mais pura da lei do senhor, porque, sendo ele o mais puro de quantos têm aparecido na Terra, o Espírito divino o animava.*

Fica bem claro que a jornada para Deus passa necessariamente pela vivência cristã.

Poderemos até ignorar o Evangelho nessa viagem, mas à custa de *bater a cabeça*, em desvios, acabaremos trilhando exatamente os caminhos preconizados por Jesus.

As próprias religiões não cristãs, como o Islamismo e o Budismo, aproximam-se do Cristianismo em seus conceitos básicos.

É que, segundo Emmanuel, no livro *A Caminho da Luz*, seus fundadores foram emissários do Cristo.

Há algo do mapa celeste em todos os roteiros religiosos que inspiram a jornada para Deus.

Felizes os que têm a oportunidade de conhecer o Evangelho, o melhor e mais completo de todos.

* * *

Há outro questionamento interessante:

Se ninguém está perdido, se não precisamos ser salvos da danação eterna, por que, então, Allan Kardec desfraldou a máxima *Fora da Caridade não há Salvação* como bandeira da Doutrina Espírita?

Essa aparente contradição é facilmente superável considerando que Kardec não se referia ao significado escatológico do termo *salvação*. Não pretendeu que é pelo exercício da caridade que nos livramos da danação eterna, mesmo porque, como já comentei, ela não existe.

A *salvação* a que se refere Kardec diz respeito à sociedade humana. Jamais haverá paz no Mundo e em nós mesmos, enquanto não vencermos o egoísmo, elemento gerador de todos os males.

Observemos os problemas que conturbam indivíduos e nações, e perceberemos que a origem está no egoísmo.

Brigas, discussões, desentendimentos, nascem e sustentam-se no empenho de cada um em cuidar da sua parte, dos seus interesses.

A caridade é o antídoto do egoísmo.

À medida que para sermos caridosos somos obrigados a pensar nos outros, salvamo-nos do egoísmo e conquistamos a paz, o tempero da felicidade.

# CAMPEONATO DE MALDADES

– Parem o Mundo que quero descer! – dizia um amigo, horrorizado com o panorama desolador da atualidade em que, aparentemente, gênios das trevas abriram uma caixa de iniquidades para torturar a nós outros, pobres mortais.

Filhos que matam pais.

Pais que agridem filhos.

Homens que se vestem de bombas para dizimar inocentes.

Traficantes que viciam incautos para ampliar a freguesia.

Políticos que atuam como aves de rapina sobre o erário.

Sequestradores que apavoram famílias para extorquir-lhes dinheiro.

Assaltantes que não vacilam em matar.

Promiscuidade sexual, promovendo a dissolução dos costumes e a disseminação de enfermidades.

Adultério banalizado, sugerindo normalidade.

Práticas abortivas amparadas por leis equivocadas.

Alguém dirá que ocorrências dessa natureza sempre existiram e que, com a população da Terra chegando aos sete bilhões de habitantes, tendem a ser muito mais numerosas.

Sim, mas nunca nessa proporção. É como se as pessoas estivessem disputando um campeonato de maldades, a ver quem pratica a atrocidade mais chocante.

* * *

Poderíamos justificar essa situação, atribuindo-a à reencarnação compulsória de Espíritos de evolução primária, vida instintiva, sem o *senso moral* a que se referia Kardec.

Não é bem isso, ou não é apenas isso, já que esses Espíritos não vieram para gerar confusão no

Mundo. Estão aqui em empenho de aprendizado, que lhes permita superar suas limitações, como todos nós.

Considere-se, ainda, a reencarnação de Espíritos de razoável desenvolvimento intelectual, cujas maldades não podem ser atribuídas à incapacidade de distinguir o bem do mal.

Há algo mais, leitor amigo, que podemos constatar reportando-nos à preleção de Telésforo, no livro *Os Mensageiros*, de André Luiz, psicografia de Francisco Cândido Xavier.

Em face de sua importância e gravidade, deve ser objeto de acurado estudo nos círculos espíritas.

Por economia de espaço, limito-me a transcrever algumas de suas reveladoras observações:

*... A mente humana abre-se, cada vez mais, para o contacto com as expressões invisíveis, dentro das quais funciona e se movimenta. Isto é uma fatalidade evolutiva.*

*...A humanidade terrena aproxima-se, dia a dia, da esfera de vibrações dos invisíveis de condição inferior, que a rodeia em todos os sentidos. Mas, segundo reconhecemos, esmagadora percentagem de habitantes da Terra não se preparou para os atuais acontecimentos evolutivos.*

*...vemos agora a criatura terrestre assoberbada de problemas graves, não só pelas deficiências de si própria, senão também pela espontânea aproximação psíquica com a esfera vibratória de milhões de desencarnados, que se agarram à Crosta planetária, sequiosos de renovar a existência que menosprezaram, sem maior consideração aos desígnios do Eterno.*

Fácil concluir que estamos cada vez mais ligados ao mundo espiritual e sensíveis à sua influência.

Uma observação, leitor amigo: *Os Mensageiros* foi publicado em 1944. Se há 67 anos o mentor espiritual falava dessa proximidade de Espíritos perturbados e perturbadores, imaginemos hoje, em que se percebe uma sensibilidade mais acentuada nas mentes humanas.

O problema é que não estamos preparados para lidar com esse contato estreito. Ainda nos situamos mais perto da animalidade do que da angelitude.

Daí o fato de sintonizarmos mais facilmente com as forças das sombras, assimilando sua influência.

Dá para entender por que há tanta confusão no Mundo hoje.

Mais do que nunca, impõe-se a recomendação de Jesus: *orai e vigiai*.

Vigiar nossos pensamentos, nossos desejos, nosso comportamento e orar muito, com o fervor do cristão autêntico, que busca o equilíbrio necessário para enfrentar os desafios da atualidade, sem nos deixarmos envolver pelas pressões da espiritualidade inferior, que constitui o clima que respiramos hoje.

Situa-se a Terra como imenso umbral, em que *multidões de testemunhas*, como diz o apóstolo Paulo (Hebreus, 12:1) nos rodeiam, em sua vasta maioria composta de Espíritos perturbados e perturbadores.

* * *

Em meio às ardências do deserto, o viajor busca o conforto do oásis, onde pode saciar a sede e descansar.

Em meio às perturbações da sociedade atual, há oásis abençoados de espiritualidade, que podemos buscar na atividade religiosa, no lar orientado pelo Evangelho e, em última instância, na intimidade de nossas almas, superando os enganos do mundo.

Se o reino de Deus que Jesus veio trazer está longe de ser instalado no Mundo, podemos e devemos instalá-lo em nosso próprio coração, com os valores de uma dedicação total ao Bem, eximindo-nos, por mera questão de sintonia vibratória, das influências nocivas que nos cercam.

No livro *Boa Nova*, psicografia de Chico Xavier, o Espírito Humberto de Campos reporta-se às consolações oferecidas por Maria, a mãe de Jesus, aos viajores cansados e sedentos que a buscavam.

*– Minha mãe, — dizia um dos mais aflitos – como poderei vencer as minhas dificuldades? Sinto-me abandonado na estrada escura da vida...*

*Maria lhe enviava o olhar amoroso da sua bondade, deixando nele transparecer toda a dedicação enternecida de seu espírito maternal.*

*– Isso também passa! – dizia ela, carinhosamente. – Só o Reino de Deus é bastante forte para nunca passar de nossas almas, como eterna realização do amor celestial.*

É orientação para a existência inteira.

Tudo passa!

E sempre estaremos bem, animados, reconfortados e protegidos, mesmo ante as ardências do deserto humano, se formos capazes de construir um oásis de bênçãos, em nossa consciência, atendendo à convocação celeste para que edifiquemos o Reino de Deus em nossos corações.

# MALDADE

– Como evitar que nos façam mal?

– Ninguém tem esse poder.

– E os prejuízos morais e materiais que sofremos?

– Fazem parte da Vida.

– Qual a sua utilidade?

– Colhemos experiências, aprendemos, crescemos...

– De qualquer forma nos prejudicam...

– O mal real está em nós.

– A angústia, a tristeza, a desolação?

– E também o ódio, o rancor, o ressentimento...

– Não são reações naturais?

– São prisões voluntárias. Fazem muito mal!

– Como sair delas?

– Reaja ao mal com o Bem.

# *ACEITAÇÃO*

Perguntavam a Chico como conseguia conservar a tranquilidade ante tantas solicitações de multidões ávidas de consolo e conforto que o procuravam.

O médium respondia com uma única palavra:

*Aceitação.*

Se bem analisarmos, verificaremos que muitas de nossas perturbações e desajustes nascem de reações negativas, ante as situações que se sucedem no cotidiano:

– O trânsito lento.

– A agressividade do familiar.

– A sobrecarga no serviço.

– As críticas do companheiro.

– O problema inesperado.

Em situações mais graves, a não aceitação gera sérios problemas, passíveis de nos desajustarem.

– A morte de um ente querido

– A doença grave.

– O prejuízo financeiro.

– A deserção de um amigo.

– A traição de um afeto.

Chico nos oferece a chave mágica para não nos perturbarmos: aceitar.

Eu diria, leitor amigo, que noventa por cento

de nossos sofrimentos, tensões e angústias, ante os desafios da existência, desde os simples contratempos às cobranças cármicas, sustentam-se em reações negativas, quando nos irritamos ou nos rebelamos.

Toneladas de tranquilizantes e analgésicos são consumidas no Mundo por pessoas inquietas, irritadas, em face de situações que fogem ao seu controle.

Crimes, agressões, desentendimentos, afligem multidões atormentadas porque não admitiram algo que lhes aborreceu ou prejudicou.

Há o desastroso suicídio, cometido por aqueles que não se dispõem a enfrentar uma situação difícil.

* * *

A cruz simboliza, tradicionalmente, a carga das atribulações que devemos carregar na jornada humana.

No Espiritismo aprendemos que ela representa, acima de tudo, o resgate de nossos débitos do pretérito, quando infringimos as Leis Divinas que nos regem na intimidade da própria consciência.

Considerando que jamais Deus colocaria sobre nossos ombros peso insuportável, é óbvio que a *transportadora celeste* jamais comete equívocos na entrega dos madeiros.

Nossa cruz é exatamente aquela que nos foi destinada.

Ocorre que sentimentos negativos – revolta, irritação, desespero, inconformação, funcionam como sobrecarga indevida, pesos que subtraem méritos e acrescentam deméritos que complicam a jornada.

Ao cultivar a aceitação, livraremo-nos desses indesejáveis *adicionais* e a cruz nos parecerá bem leve, tolerável.

* * *

Considere, entretanto, leitor amigo, duas nuances importantes no ato de aceitar.

A primeira é a aceitação passiva de quem simplesmente se dispõe a carregar sua cruz sem murmúrios e queixas.

A segunda é a aceitação ativa de quem faz dela um arado para fertilizar o solo dos corações, com exemplos de dedicação ao Bem, conservando a disposição de servir.

Na primeira, acertamos nossas contas com o passado.

Na segunda, investimos para o futuro.

Exatamente como fazia Chico.

Aceitava de forma positiva os percalços de sua condição de missionário sem contas do passado, para investir em favor do futuro de todos aqueles que têm a felicidade de conhecer os livros que psicografou e de mirar-se em seus exemplos de dedicação ao Bem.

# NEM O MENDIGO

O voluntário servia num bazar beneficente de roupas, promovido pelo operoso Centro Espírita.

Muita gente, muitas vendas.

Deparou-se, em dado instante, com uma calça encalhada, a única que não fora vendida.

Surpreso, logo a identificou. Era sua.

Foi reclamar com a esposa.

– Você pôs no bazar minha calça de estimação?

Ela respondeu reticente:

– Bem… não fui eu…

– Certamente, artes de nossa serviçal!

– Na verdade eu a doei a um necessitado que bateu em nossa porta. Fiquei com pena. Estava andrajoso.

– E daí?

– Ao que parece, meu querido, ele a dispensou, trazendo-a ao nosso bazar.

Imagine, leitor amigo, o *status* da referida!

Nem o mendigo quis ficar com ela!

* * *

O episódio remete-nos à velha tendência humana: o apego, inspirado, não raro, em persistente sentimento de usura, sob a égide do egoísmo.

Livros, roupas, objetos de uso pessoal, móveis, utensílios diversos permanecem anos segregados no porão do esquecimento.

Os proprietários, à maneira de escravos dos próprios haveres, recusam-se ao benefício da alforria, da qual desfrutariam se os encaminhassem aos carentes, antes de se transformarem em trastes pelo impiedoso tempo.

Guardamos tanto, e por tanto tempo, que se tornam imprestáveis, uma dor de cabeça para nossos herdeiros.

Khalil Gibran, em *O Profeta*, tem uma observação notável a esse respeito:

*Tudo que possuís será um dia dado.*

*Dai agora, portanto, para que a época da dádiva seja vossa e não de vossos herdeiros.*

Diga-se de passagem, em tal situação temos a doação dos herdeiros não por desprendimento, mas simplesmente porque não lhes têm serventia alguma. E assim engrossam o rol das inutilidades que atulham as entidades beneficentes a que são destinados.

* * *

Algo a ponderar, amigo leitor:

Acúmulo de trastes em vida costuma impor dificuldades na morte.

Há Espíritos extremamente perturbados porque os herdeiros vaporizam suas adoradas relíquias, após concluírem que não há o que fazer com elas.

Melhor cultivar desapego, reduzir o patrimônio do que é inutilidade para nós, mas que ainda pode ter alguma utilidade para irmãos carentes.

Caixão, como diz o ditado popular, não tem gavetas.

Só levaremos para o mundo espiritual nossas aquisições morais, espirituais e intelectuais, e também o lastro pesado do apego ao que se refere à vida transitória, impedindo que desfrutemos das benesses da vida eterna.

* * *

Com o propósito de fazer circular roupas, livros e objetos de uso pessoal, consideremos o tempo ocioso.

Um amigo costuma examiná-los, periodicamente.

Se estiverem sem uso nos últimos dois anos, destina-os a instituições filantrópicas.

É uma boa medida para que não pretendamos tornar permanente o que é transitório, evitando o vexame de constatar que nem os mendigos usariam o que insistimos em reter.

# UMA BOA IDEIA

Perguntaram a Mahatma Gandhi o que achava da civilização ocidental:

– Acho que seria uma boa ideia.

Bem-humorado e perfeito o pensamento do grande líder espiritual.

Para entender o alcance de suas palavras, consideremos civilização, em sua expressão mais simples, como sinônimo de uma coletividade orientada por organização social adequada, leis justas e igualitárias que promovam o bem-estar da população.

Oportuno lembrar, a propósito, que *todos os*

*homens têm direito à vida, à liberdade e à felicidade*, como sugere a proclamação da independência dos Estados Unidos da América.

A população, por sua vez, numa civilização, exercita a cortesia, o respeito às normas e ao próximo, guardando fidelidade à própria consciência.

Dá para perceber por que Gandhi fala de uma boa ideia, dando a entender que não temos uma civilização em toda sua abrangência, já que esses princípios estão longe de serem observados em qualquer país do Ocidente.

Na verdade, caro leitor, não são observados em plenitude em nenhum país deste nosso Mundo de Expiação e Provas, orientado pelo egoísmo.

* * *

Na questão 793, de *O Livro dos Espíritos*, interroga Kardec:

*Por que sinais se pode reconhecer uma civilização completa?*

*Reconhecê-la-eis pelo desenvolvimento moral. Credes que estais muito adiantados, porque fizestes grandes descobertas e invenções maravilhosas; porque vos alojais e vos vestis melhor do que os selvagens. Contudo, não tereis verdadeiramente o direito de dizer-vos civilizados, senão quando houverdes banido de vossa sociedade os vícios que a desonram e quando viverdes como irmãos, praticando a caridade cristã. Até então, sereis apenas povos esclarecidos, que só percorreram a primeira fase da civilização.*

Perfeito!

Temos os esclarecimentos necessários para compor uma civilização, mas entre o *saber e o fazer* interpõe-se o velho egoísmo humano, que usa o *saber* em proveito próprio, comprometendo o *fazer*.

Entendo que o trânsito para uma verdadeira civilização implica admitir o *saber* como indeclinável convocação para o *fazer*.

O problema está em definir bem o *saber*, porquanto muita gente pensa saber tudo e não sabe nada, enfeitando-se de cultura, aprendendo muito sobre os mais variados assuntos, mas permanecendo ignorante no assunto fundamental – a Vida.

Enquanto não entendermos o que é a Vida, de onde viemos, por que estamos na Terra, para onde vamos, patinaremos em termos de *saber*. Estaremos apenas a incensar o egoísmo com a pretensão de que somos melhores do que o próximo, sem noção sequer de por que existimos.

A propósito, vale lembrar o encontro de Jesus com Hanan, um sacerdote judeu, no início de seu apostolado, descrito por Humberto de Campos, no livro *Boa Nova,* um dos mais importantes psicografados por Chico Xavier:

*– Galileu, que fazes na cidade?*

*– Passo por Jerusalém, buscando a fundação do Reino de Deus! – exclamou o Cristo, com modesta nobreza.*

*– Reino de Deus? – tornou o sacerdote com acentuada ironia. – E que pensas tu venha a ser isso?*

*– Esse Reino é a obra divina no coração dos homens. – Esclareceu Jesus, com grande serenidade.*

*– Obra divina em tuas mãos? – revidou Hanan, com uma gargalhada de desprezo.*

*E, continuando as suas observações irônicas, perguntou:*

*– Com que contas para levar avante essa difícil empresa? Quais são os teus seguidores e companheiros?... Acaso terás conquistado o apoio de algum príncipe desconhecido e ilustre, para auxiliar-te na execução de teus planos?*

*– Meus companheiros hão de chegar de todos os lugares – respondeu o Mestre com humildade.*

*– Sim – observou Hanan – os ignorantes e os tolos estão em toda parte da Terra. Certamente que esse representará o material de tua edificação. Entretanto, propões-te realizar uma obra divina e já viste alguma estátua perfeita modelada em fragmentos de lama?*

*– Sacerdote – replicou-lhe Jesus, com energia serena – nenhum mármore existe mais puro e mais formoso do que o do sentimento, e nenhum cinzel é superior ao da boa vontade sincera.*

*Impressionado com a resposta firme e inteligente, o famoso juiz ainda interrogou:*

*– Conheces Roma ou Atenas?*

*– Conheço o amor e a verdade.*

*– Tens ciência dos códigos da Corte Provincial e das leis do Templo? – inquiriu Hanan, inquieto.*

*– Sei qual é a vontade de meu Pai que está nos céus. – respondeu o Mestre, brandamente.*

Beleza de diálogo, amigo leitor!

Com a simplicidade da sabedoria autêntica, Jesus nos ensina que o amor e a verdade são as bases de construção de uma verdadeira civilização, a partir do empenho em compreender qual é a vontade de Deus.

Quando tais princípios forem assimilados, a civilização ocidental deixará de ser apenas uma boa ideia.

# O GRANDE PASSO

Os grandes princípios morais têm características de universalidade e eternidade, isto é, servem para todos os quadrantes do Universo, em todos os tempos.

O exercício do Bem como caminho para a felicidade é um exemplo marcante, sempre evocado em todas as culturas e religiões:

Budismo:

*O caminho do meio entre os conflitos e a dor está no exercício correto da compreensão, do pensamento, da palavra, da ação, da vida, do trabalho, da atenção e da meditação.*

Confucionismo:

*Não se importe com o fato de o povo não conhecê-lo, porém esforce-se de modo que possa ser digno de ser conhecido.*

Judaísmo:

*Não faça ao próximo o que não deseja para si.*

Islamismo:

*A verdadeira riqueza de um homem é o bem que ele faz neste mundo.*

Cristianismo:

*Faça ao semelhante todo bem que deseja receber.*

Espiritismo:

*Fora da caridade não há salvação.*

Há uma dificuldade na vivência desses princípios, caro leitor.

Pedem divina base altruística: a disposição para cuidar dos outros.

Contrariam a humana base egoística: a vocação para cuidar de si mesmo.

Todo o mal do mundo sustenta-se na tendência humana de cada qual *resolver-se.*

Quanto aos outros, *que se danem!*

Corrupção, adultério, furtos, assaltos, estupros, assassinatos, guerras, massacres, conflitos e todos os demais males que afligem a Humanidade inspiram-se nessa maneira de ser.

E mais, leitor amigo: o egoísmo individual projeta-se no comportamento das nações, que elegem por *modus operandi* tirar todo proveito possível nas relações internacionais, partindo, não raro, para a agressão, exercitando domínio sobre outras nações.

A História é um suceder de guerras entre países, desde as tribos primitivas que disputavam espaço e domínio com o tacape, aos países que o fazem com sofisticados engenhos de guerra que dizimam populações e espalham o terror.

Isso, supostamente, em nome de melhores condições de vida, em regimes totalitários, ou em nome da liberdade, em países que se dizem democráticos.

Diz Mahatma Gandhi:

*Que diferença faz para os mortos, para os órfãos e para os despossuídos se aquela louca destruição se deu em nome do totalitarismo ou do santo nome da liberdade?*

O grande líder indiano sabia bem do que falava, contemplando o panorama desolador de uma Índia às voltas com conflitos religiosos e políticos, que acabaram por dividir o país, dando origem ao Paquistão.

Isso, longe de acalmar os ânimos e ambições, como previra Gandhi, apenas os acirrou, sustentando intermináveis pendências entre as duas nações, sempre à beira de um conflito armado, hoje de perspectivas horripilantes, já que ambas possuem um arsenal de bombas atômicas.

Tudo isso porque, tanto lá quanto em quaisquer países envolvidos em pendências, o egoísmo está presente nas mesas de negociações, recusando acordos que não privilegiem basicamente os interesses e ambições dos participantes.

* * *

Quando esse desvio for corrigido, invertida essa tendência, isto é, quando aprendermos a pensar nos outros e *que se danem os interesses pessoais*, estaremos construindo na Terra o Reino de Deus.

Essa é a regra de ouro do Cristianismo, esse é o empenho a que somos convocados permanentemente, onde estivermos, junto à família, na vida social, na profissão, na atividade religiosa, fazendo pelo próximo todo o bem que gostaríamos nos fosse feito.

À medida que se dissemine, esse altruísmo individual acabará se projetando na consciência das nações, favorecendo o fim dos conflitos, das loucuras da guerra.

Então a paz reinará, finalmente, soberana no Mundo.

Certamente, amigo leitor, isso não vai acontecer do dia para a noite. Muita água vai rolar no rio do tempo, até que o altruísmo esteja na consciência dos povos.

Mas, enquanto isso não acontece em nível coletivo, podemos fazê-lo tranquilamente em nível individual, sob inspiração da Doutrina Espírita, que nos oferece uma visão muito clara dos tormentos a que estão destinados, no mundo espiritual, os egoístas.

Conscientes de nossas responsabilidades, sejamos, amigo leitor, os vanguardeiros dessa transição do egoísmo para o altruísmo, cultivando o esforço do Bem.

Assim, antes que o Reino de Deus se instale na Terra, haveremos de edificá-lo em nosso próprio coração.

Antes que a paz se estenda aos homens, teremos pacificado a nós mesmos.

# MUNDO

– O Mundo está cada vez mais conturbado!

– Como chegou a essa conclusão?

– Vício, violência, crimes…

– Sempre foi assim.

– Hoje está pior. Basta ler o noticiário.

– Você gostaria de ver leões comendo gente?

– Deus me livre.

– Ou as pessoas serem condenadas às chamas?

– É loucura.

– Gostaria de ter um escravo?

– Seria atentar contra a dignidade humana.

– Acontecia no passado.

– Ainda há muita maldade.

– Mas não há aplauso para ela.

# PARA VIVER MAIS E MELHOR

Observando a boa disposição de um grupo de idosos, beirando as noventa primaveras, em país asiático, o turista indagou a experiente médico daquela região qual o segredo de tão saudável longevidade.

– É simples! Aprenderam a comer a metade, andar o dobro e rir o triplo!

Sábia comunidade!

Seus habitantes cumprem perfeito tratado de saúde.

Excesso de peso sobrecarrega os órgãos vitais, favorece a ocorrência de problemas respiratórios, cardiovasculares, osteoarticulares, digestivos, que, além de ferir a autoestima e a estética, abreviam a existência, despejando o Espírito da morada física antes de *vencido o contrato*, o tempo de vida programado para a jornada terrestre.

Não conheço nonagenário amigo da mesa farta, desses que vivem para comer, esquecendo a sábia orientação de que devemos comer para viver, evitando a indevida e comprometedora obesidade.

Se você quer ter uma ideia, leitor amigo, dos prejuízos do excesso de peso, experimente carregar uma mochila de cinco quilos. Sem problemas nos primeiros minutos; aos poucos vai incomodar.

Experiência mais radical: carregue uma mala de quinze quilos. Terá a impressão de que pesa sessenta depois de alguns minutos.

Imagine alguém com sobrepeso de tantos quilos que podem ser enunciados por arrobas, e terá uma ideia do que isso representa para o corpo.

Há quem alegue problema cármico, envolvendo metabolismo, distúrbio glandular... Não consegue fazer baixar a balança.

Mas não será apenas o resultado de excessos gastronômicos do passado, situando-se no presente como um estímulo ao *travamento da boca*?

Uma boa opção: substituir a ociosidade diante da televisão, que inspira o comer por mero hábito, por uma boa caminhada, evitando adiposidades que arredondam o corpo e prejudicam a estética.

Dirá o amigo da mesa farta:

– Terei de passar a vida andando!

Não é preciso tanto. Apenas imponha-se o *castigo* de queimar as calorias de uma feijoada ou de um *milk shake*.

Acabará por tomar gosto, deliciando-se com o abençoado exercício que fortalece os músculos, tonifica o corpo, mantém limpas as artérias e evita sustos na balança.

* * *

Quanto ao riso, vai se consolidando a convicção de que é o melhor remédio para nossos males e a preservação da saúde, principalmente mental.

Uma boa risada faz mais em favor do bem-estar, eliminando ansiedade e preocupações, do que generosas doses de ansiolíticos ou tranquilizantes.

Rir de quê? – pergunta o pessimista incorrigível, habituado à ideia de que o universo conspira contra ele e de que só há razões para lamentos.

Se for esse o seu pensamento, ria de si mesmo, prezado leitor. Observe no espelho sua expressão preocupada, sofredora, e diga se não anda buscando *chifre em cabeça de cavalo*.

Deixe de imaginar-se o coitadinho, e considere que situações difíceis são lixas grossas que desbastam nossas imperfeições, que estimulam nossas iniciativas, que nos mantêm *acordados* para a Vida.

Não nos incomodarão se não lhes dermos demasiada atenção.

* * *

Um teste.

Diz o médico ao paciente:

– Tenho uma notícia ruim e outra pior. A ruim é que você só tem vinte e quatro horas de vida.

– Puxa, essa é a ruim? O que poderia ser pior do que isso?

– Estou tentando falar com você desde ontem.

Se você viu neste diálogo motivo para uma boa risada, parabéns! Astral elevado!

Se pelo menos sorriu, menos mal.

Se imaginou que um livro espírita não é lugar para contar anedotas, mesmo a título de teste, seu caso é grave.

Precisa urgentemente reciclar seus conhecimentos, aprendendo com Jesus que, dependendo da maneira como encararmos as coisas, estaremos vestidos de luz ou de sombra. (Mateus, 6:22-23).

Em trajes de luz, esteja certo, haverá sempre o brilho do bom humor.

# REPRESENTANTE DOS PATRÕES

Um amigo perguntou:

– Os Espíritos que orientavam Kardec, ao escrever *O Livro dos Espíritos*, eram, porventura, representantes do sindicato dos patrões?

– Não estou entendendo...

– É o que imagino ao ler a questão 683, de *O Livro dos Espíritos*. Pergunta Kardec: *Qual o limite do trabalho?* Responde o mentor: *O das forças. A esse respeito Deus deixa inteiramente livre o homem.* Isso é regime de escravidão. Trabalhar até o limite das forças!

A indignação de meu amigo resulta de uma interpretação equivocada dessa questão.

Quando o mentor diz que o limite do trabalho é o das forças, não se reporta à atividade profissional especificamente, mas às nossas atividades de um modo geral, no dia a dia.

Somos um dínamo-psiquismo, dotados do pensamento contínuo. Não paramos de exercitar a mente, nem mesmo quando dormimos. Os sonhos são, não raro, resíduos de nossa atividade durante o sono.

O trabalho, no sentido usado pelo mentor, está representado pelo esforço em disciplinar a mente, mantendo-nos sempre ativos, interessados em aprender, em desenvolver nossas potencialidades criadoras.

Qualquer trabalho, varrer uma casa, cuidar de uma criança, preparar uma refeição, escrever um livro, ou criar um programa de computador, disciplina o cérebro, favorecendo a aquisição de conhecimentos e experiências que promovem nossa evolução.

Todas as realizações humanas, no campo individual e coletivo, sempre envolvem o esforço disciplinador do trabalho.

* * *

Com o desenvolvimento dos recursos tecnológicos, a tendência é haver uma progressiva redução da jornada de trabalho profissional.

Há empresas na Europa e Estados Unidos com expediente de segunda a quinta-feira. O profissional desfruta três dias de folga.

O problema está no que fazer desse tempo subtraído à jornada profissional, evitando cair na ociosidade, o não fazer nada.

Imperioso recordar que o trabalho, além de disciplinador, tem características saneadoras.

No atual estágio de evolução, se ficamos ociosos, mente desocupada, damos livre curso às nossas tendências inferiores e acabamos comprometidos por vícios e desregramentos.

Daí o velho ditado: *Mente vazia é forja do demônio.*

O pensamento ruim chega sempre quando não temos o que fazer, porquanto estamos longe da angelitude e prevalecem em nós impulsos próprios da animalidade primitiva de onde viemos.

Em hospitais psiquiátricos há a praxiterapia, em que se oferece ao paciente a oportunidade de realizar algum trabalho, com o propósito de pôr ordem em sua casa mental, o que o ajuda a recompor-se.

* * *

Portanto, caro leitor, quando o mentor espiritual informa que o limite do trabalho é o das forças, não pretende que trabalhemos profissionalmente naquele ritmo da Revolução Industrial, no século XVIII, quando era comum a jornada de doze a dezesseis horas, operários labutando até a exaustão.

Sugere que reservemos o tempo que nos sobra nas atividades profissionais e familiares para o empenho de aprender sempre, que alarga os horizontes de nosso entendimento, e para aquisição de virtudes evangélicas, que estreitam o espaço para a animalidade primitiva.

Somente assim evitaremos o comportamento instintivo, divorciado da razão que complica a existência, e conquistaremos aquela riqueza que, segundo Jesus, as traças não roem, nem os ladrões roubam...

Uma riqueza formada pelas aquisições espirituais, no campo da Verdade e do Bem, patrimônio inalienável que nos sustentará o equilíbrio e a paz onde estivermos, na Terra ou no Além.

# CURVA DA ESTRADA

*Morrer é a curva da estrada.*
*Morrer é só não ser visto.*

Fernando Pessoa (1888-1935), o grande poeta filósofo, definiu nessas poucas palavras, com admirável precisão, o que é a morte.

É apenas a curva do caminho, que subtrai à nossa visão alguém que segue à frente.

Também chegaremos lá.

Retomaremos o contato.

Infalivelmente!

Será em tempo breve ou alongado.

Dependerá de nós, de nossos ajustes com o destino ou de nossos desatinos.

* * *

O que pode ser encarado como pálida esperança, na singela e bela imagem do poeta, torna-se uma realidade palpável quando apreciamos o assunto à luz da Doutrina Espírita.

Favorecem-nos as informações dos que, saindo de nossas vistas, falam conosco pela telefonia mediúnica.

É por um *telefone* maravilhoso, Chico Xavier, que inspirado poeta desencarnado, Casimiro Cunha (1880-1914), nos convida a observar importante aspecto:

*Dobram sinos a finados,*
*Com mágoa e desolação...*
*Porque não sabem que a morte*
*É a nossa libertação.*

Certamente o vate fluminense sabia bem do que falava. Teve trânsito breve e atribulado na jornada terrestre.

Segundo registros biográficos, em Parnaso de Além-Túmulo, a magnífica coletânea de poesias psicografadas pelo mesmo médium, de onde transcrevemos o verso acima, está registrado:

*Há, na sua existência terrena, uma triste particularidade a assinalar, qual a de haver perdido uma vista aos 14 anos, por acidente, para de todo cegar da outra aos 16.*

*Órfão de pai aos 7 anos, apenas frequentou escolas primárias.*

*Era um espírito jovial e forte no infortúnio, que ele sabia aproveitar no enobrecimento da sua fé.*

Mágoa e desolação, quando destituídos de compreensão, afligem aqueles que veem o familiar querido ganhar a curva do caminho.

Mas, para alguém como ele, que enfrentou corajosamente as provações, há, além do olhar humano, luminosas e deslumbrantes paisagens que se abrem à visão espiritual, superadas as limitações da carne.

* * *

Um último detalhe, leitor amigo.

Casimiro Cunha era espírita, dádiva de Deus em nossas vidas, fonte abençoada de onde, certamente, retirou muito de seu alento, de sua coragem para enfrentar a adversidade.

Por isso, lá, na curva do caminho, exalta, feliz, em poesia constante da citada obra:

*Espiritismo é uma luz*
*Gloriosa, divina e forte,*
*Que clareia toda a vida*
*E ilumina além da morte.*

*É uma fonte generosa*
*De compreensão compassiva,*
*Derramando em toda parte*
*O conforto D'água Viva.*

*É o templo da Caridade*
*Em que a Virtude oficia,*
*É onde a bênção da Bondade*
*É flor de eterna alegria.*

*É árvore verde e farta*
*Nos caminhos da esperança,*
*Toda aberta em flor e fruto*
*De verdade e de bonança.*

*É a claridade bendita*
*Do bem que aniquila o mal,*
*O chamamento sublime*
*Da Vida Espiritual.*

*Se buscas o Espiritismo,*
*Norteia-te em sua luz;*
*Espiritismo é uma escola,*
*E o Mestre Amado é Jesus.*

# PARA QUE NÃO SE ESVAZIE O PLANETA

Fala-se atualmente, no meio espírita, sobre grandes transformações que ocorrerão neste século.

Evoca-se a anunciada separação do joio e do trigo, dos bodes e das ovelhas, como propunha Jesus.

Expurgado o planeta dos Espíritos comprometidos com o mal, estaríamos a caminho do Reino de Deus, da instalação do paraíso terrestre, onde todos viverão em paz, unidos e felizes para sempre.

Acontecimentos funestos, como tsunamis, terremotos, aquecimento global, furacões, secas, enchentes, deslizamentos, incêndios, promovendo a morte de multidões, seriam os sinais da grande mudança.

Encaro com alguma reserva essas insólitas previsões.

O leitor amigo há de permitir-me algumas considerações.

Em princípio, os fenômenos telúricos que agitam as entranhas de nosso planeta, promovendo mortes e destruição, não constituem novidade.

Ocorrem desde a formação da Terra, há aproximadamente quatro bilhões e quinhentos milhões de anos, quando nosso planeta situava-se por massa de fogo incandescente.

No passado, antes mesmo do aparecimento do Homem, eram muito mais numerosos e violentos, não para castigar uma Humanidade que ainda não existia, mas, simplesmente, porque são próprios de nosso planeta.

Tivemos, por exemplo, eras glaciais em que nosso mundo virou uma pedra de gelo.

Houve, também, períodos de erupções vulcânicas, quando as entranhas da Terra cuspiram fogo por todo o planeta e não havia ninguém aqui para *torrar*, no indeclinável propósito de resgatar débitos cármicos.

* * *

Por outro lado, há uma observação sumamente importante de Jesus, nas Bem-aventuranças, em *O Sermão da Montanha* (Mateus, 5:5):

*Bem-aventurados os mansos, porque herdarão a Terra.*

Salvo melhor juízo, Jesus estava proclamando que na grande transição vão permanecer na Terra os que houverem conquistado a mansuetude.

Daí fica complicado, meu caro leitor, porquanto se esse magno evento ocorrer neste século ou nos próximos, você pode imaginar o resultado:

A Terra quase deserta!

O motivo é simples: raríssimos são mansos.

O vocábulo *manso* está tão desgastado que equivale a xingamento.

Se eu chamar você de manso provavelmente irá ofender-se, como se estivesse a dizer-lhe que é um covardão, com sangue de barata em suas veias, incapaz de reagir a ofensas e prejuízos que lhe causem.

Acontece pior quando alguém é traído pela gentil esposa e não a agride e repudia ou mesmo cogita de matá-la, na *legítima defesa da honra*, como pretendem os machistas incorrigíveis. Fofoqueiros empregam esse vocábulo de forma extremamente pejorativa, associando o pobre marido aos bovinos que ostentam aqueles pontudos apêndices ósseos na cabeça.

No entanto, manso é simplesmente alguém que venceu a agressividade e guarda raízes de estabilidade em seu próprio íntimo, sem reações insensatas e intempestivas.

Bem sabemos que o elemento gerador de todos os males humanos é o egoísmo, cuja manifestação mais evidente é a agressividade, em gestos, pensamentos, palavras, ações...

Por isso, as pessoas se desentendem, os grupos se agridem, as nações entram em guerra, a confusão reina no mundo.

Assim considerando, parece-me, leitor amigo, que a decantada civilização cristianizada do terceiro milênio demorará ainda algum tempo para instalar-se, digamos alguns séculos, talvez até o final deste milênio.

Muita água rolará no rio do tempo até que soem as trombetas do apocalipse a anunciar o advento do Reino Divino.

Por enquanto, parece-me que a Bondade Celeste está a esperar por nossa adesão ao Evangelho, a fim de que não se esvazie o planeta em indesejável limpeza espiritual extemporânea.

# A CARIDADE DA LÍNGUA

Conta Allan Kardec, em *O Livro dos Médiuns,* item 252, que duas irmãs sofriam, há anos, depredações desagradáveis em seu lar.

*Suas roupas eram incessantemente espalhadas por todos os cantos da casa e até pelos telhados, cortadas, rasgadas e crivadas de buracos, por mais cuidado que tivessem em guardá-las à chave.*

Descartada a possibilidade de que estavam às voltas com brincadeira de mau gosto, procuraram o

Codificador que, em reunião mediúnica, mediante evocação, conversou com o Espírito que estava promovendo aqueles distúrbios.

Era agressivo e inacessível a qualquer orientação passível de mudar seu comportamento.

Um mentor espiritual consultado transmitiu surpreendente orientação:

*O que essas senhoras têm de melhor a fazer é rogar aos Espíritos seus protetores que não as abandonem.*

*Nenhum conselho melhor lhes posso dar do que o de dizer-lhes que desçam ao fundo de suas consciências, para se confessarem a si mesmas e verificarem se sempre praticaram o amor ao próximo e a caridade.*

*Não falo da caridade que consiste em dar e distribuir, mas a caridade da língua; pois, infelizmente, elas não sabem conter as suas e não demonstram, por atos de piedade, o desejo de se livrarem daquele que as atormenta.*

*Gostam muito de maldizer do próximo e o Espírito que as obsidia toma sua desforra, porquanto, em vida, foi para elas um burro de carga.*

*Pesquisem na memória e logo descobrirão quem ele é.*

*Entretanto, se conseguirem melhorarem-se, seus anjos guardiães se aproximarão e a simples presença deles bastará para afastar o mau Espírito, que não se agarrou a uma delas em particular, senão porque o seu anjo guardião teve que se afastar, por efeito de atos repreensíveis, ou maus pensamentos.*

*O que precisam é fazer preces fervorosas pelos que sofrem e, principalmente, praticar as virtudes impostas por Deus a cada um, de acordo com sua condição.*

Incrível, leitor amigo!

As duas irmãs estavam sofrendo a ação de um Espírito perturbador, porque... eram fofoqueiras!

Tomada à conta de simples *abobrinha*, na horta fértil da inconsequência, falar mal da vida alheia baixa o padrão vibratório e nos coloca em sintonia com Espíritos perturbados e perturbadores.

Particularmente médiuns dotados de maior sensibilidade psíquica fariam bem em *cuidar da língua*, contendo-a nos limites da sobriedade, fugindo da maledicência como o diabo da cruz.

* * *

A fofoca é uma autoafirmação às avessas, bem própria da inferioridade humana.

Ao invés de o indivíduo afirmar-se pelos seus valores, pretende fazê-lo por suposta ausência dos referidos no próximo.

É o derrubar o outro para ficar por cima.

Posição indesejável.

Satisfaz o homem perecível, mas compromete o Espírito imortal, abrindo a guarda ante o assédio espiritual inferior.

Conheci um médium que, no ambiente profissional, sempre que se formavam as tradicionais rodinhas para tricotar levianamente sobre reputações alheias, afastava-se imediatamente.

Indagado a respeito, explicava:

– Minha defesa é sustentar um padrão vibratório elevado, na base do *orai e vigiai*, recomendado por Jesus. Se vacilo, *baixo a guarda* e fico sujeito a influências perturbadoras.

Parece exagero, mas faz sentido.

Apreciações críticas na base de fofocas, depreciando o comportamento alheio, favorecem a sintonia com as sombras.

Oportuno lembrar com Jesus que será sempre conveniente refletir sobre nossas próprias mazelas, combatendo-as, ao invés de estar apreciando mazelas de nosso semelhante, sob a ótica da hipocrisia, conforme sua contundente afirmação (Mateus, 7:1-5):

*Não julgueis, para que não sejais julgados.*

*Pois com o juízo com que julgardes sereis julgados, e com a medida com que tiverdes medido, hão de vos medir.*

*Por que reparas no cisco que está no olho do teu irmão, mas não percebes a trave que está no teu?*

*Ou como dirás a teu irmão: Deixa-me tirar o cisco do teu olho, estando uma trave no teu?*

*Hipócrita, tira primeiro a trave do teu olho, e então verás claramente para tirar o cisco do olho do teu irmão.*

Um bom tema, leitor amigo, a merecer nossa atenção, antes de pedirmos socorro aos bons Espíritos quando surjam perturbações.

Não terão algo a ver com as incontinências da língua?

# FINAL DE ANO

Trinta e um de dezembro. Confraternização entre espíritas.

Falava-se do que se havia ganho ou perdido, num balanço de fim de ano, cada qual com sua lembrança mais significativa.

– Vendi pequena propriedade; comprei outra maior.

– Realizei o sonho de meu filho: dei-lhe um automóvel zerinho.

– Foi um ano complicado. Perdi bom dinheiro num desastrado aval.

– O meu foi ótimo. Ampliei meu rebanho bovino.

– Passei por experiência terrível! Fui assaltado!

Alguém perguntou:

– E você, Chico, o que nos diz?

O médium sorriu e respondeu com a simplicidade de sempre:

– Todo dia trinta e um de dezembro, eu penso: Ah! Jesus amado, agradeço-te por mais um ano de trabalho, em que pude continuar no combate às minhas grandes imperfeições.

* * *

Certa feita elaborei uma enquete junto a colegas de trabalho, com uma única pergunta:

O que você está fazendo na Terra?

Incrível! Quase todos, mesmo religiosos, não souberam definir com exatidão.

Espíritas que responderam não foram muito além, explicando que, na condição de habitantes de um planeta de provas e expiações, aqui estão para resgatar dívidas, a fim de se habilitarem a viver em planos mais altos habitados por Espíritos sem registro nos serasas siderais.

Serasa, como sabemos, prezado leitor, é o serviço público de registro de pessoas com débitos pendentes.

Raros têm consciência de que a finalidade precípua da existência humana é a nossa evolução.

Dores, dissabores, dificuldades, lutas, doenças, males variados que nos afligem, podem eventualmente funcionar como depuradores espirituais, em face do que fizemos de errado no passado, porém não produzem o crescimento espiritual. Este depende do esforço por superarmos nossas imperfeições, harmonizando-nos com os objetivos da existência, já que não foi por mero diletantismo que Deus nos criou.

Isso implica empenho diário de renovação, reflexão, identificação e superação de nossas mazelas...

Se a cada ano que passa levantarmos conquistas ou prejuízos materiais, sem nos darmos ao trabalho de avaliar o que fizemos como Espíritos imortais, no terreno cultural, espiritual e moral, então, amigo leitor, estaremos marcando passo nos caminhos da evolução.

* * *

O Espiritismo é bastante claro ao nos ensinar que ninguém retrograda.

Não retornaremos aos estágios primários; ninguém voltará a viver nas árvores, como símios antropoides que já fomos, embora muita gente o mereça.

Mas, se caminhar para trás é impossível, imitar um poste é comum. Multidões fincam-se no terreno da inconsequência, num marca-passo evolutivo. Perdem tempo, comprometem-se na inércia.

Deus inventou a morte para dar uma sacudida nos *postes*, com o choque da desencarnação, a reintegrá-los na dinâmica de evolução, que pede movimento, aprimoramento, desenvolvimento de potencialidades, crescimento moral, intelectual e espiritual.

* * *

Antes que a morte nos imponha penosas surpresas, imperioso superemos a vocação para poste e assumamos nossos compromissos com a Vida.

E que, a cada fim de ano, antes de fazermos um balanço de eventos do homem perecível, avaliemos as realizações do Espírito imortal, dispondo-nos a repetir, com Chico Xavier, em oração:

– Ah! Jesus amado, agradeço-te por mais um ano de trabalho, em que pude continuar no combate às minhas grandes imperfeições.

# VALOR REAL

Conforme a narrativa de André Luiz, em psicografia de Chico Xavier, no livro *Nosso Lar,* o título de cidadão é conferido aos habitantes integrados nas atividades daquela colônia espiritual, dispostos a cumprir o que poderíamos definir como condição *sine qua non*, básica: a consciência de dever, tendo por orientação os valores do Evangelho.

Por serem divinos, esses valores servem para todas as coletividades, em qualquer quadrante do Universo, em qualquer dimensão, em qualquer tempo.

O que não há em *Nosso Lar*:

Sinecuras, emprego de mentira com remuneração de verdade.

Licença-saúde, que saudáveis são os cidadãos que lá estagiam.

Aposentadoria, porquanto o trabalho não é para os Espíritos um meio de vida, mas algo inerente à própria Vida (quando o livro foi lançado, em 1944, o governador da cidade já estava no cargo há mais de cem anos).

A tendência de confundir felicidade com não ter compromissos, em *dolce far niente*, é um equívoco lamentável, cometido por muita gente.

Fomos criados para a ação, o movimento, a atividade. A característica fundamental de nossa personalidade, que define nossa condição de filhos de Deus, é o poder criador, que se exprime na ação, no movimento, no trabalho.

A inércia contraria nossa filiação divina.

Já pensou, leitor amigo, se Deus decidisse tirar férias?

O caos ameaçaria o Universo, regido pelo Pensamento Divino, o motor que tudo movimenta e sustenta, desde o verme que nas profundezas do solo o fertiliza aos mundos que se equilibram no espaço.

* * *

A remuneração em *Nosso Lar* é escritural,

representada por bônus-hora, isto é, a cada hora trabalhada há o registro de um bônus, valor que poderá ser utilizado pelo servidor na obtenção de benefícios variados:

Possuir residência própria onde possa acolher os familiares que chegam da jornada física.

Interceder em benefício de alguém.

Favorecer melhores condições para futuras reencarnações.

Candidatar-se a estágios de aprendizado em outros setores.

Efetuar viagens de aprendizado.

Detalhe significativo, amigo leitor: André Luiz destaca que, acima do valor extrínseco do bônus-hora, igual para todos, há algo maior, mais importante – o valor intrínseco, íntimo, representado pelas aquisições espirituais e intelectuais do trabalhador a partir de seu envolvimento com o que faz.

É um bom tema de reflexão.

Também em nossas atividades na Terra há uma remuneração intrínseca.

Um profissional terá uma remuneração salarial específica, seja um pedreiro, um advogado, um empresário, um professor, um operário, um homem do campo.

Receberá crédito bancário em conta-corrente ou moeda sonante pelo seu trabalho, valor extrínseco.

Entretanto, como acontece em *Nosso Lar* ou em qualquer outro quadrante do Universo, a remuneração mais importante é a intrínseca, relacionada com a maneira de trabalhar.

O professor que ministra a aula de forma burocrática, repetindo sempre os mesmos conceitos, sem evoluir na didática e no conteúdo, não terá nenhum ganho além do salário contratado.

Empenhando-se em melhorar a capacidade de ensinar, estudando sempre a fim ampliar seus horizontes intelectuais, terá o salário do conhecimento, de importância fundamental em favor de nosso crescimento como Espíritos imortais.

Aprender sempre é o lema de quem sabe que estamos na Terra para evoluir, superando mazelas e imperfeições, desenvolvendo potencialidades, crescendo sempre.

Isso tudo pressupõe... trabalho, muito trabalho!

Conscientizando-se de suas responsabilidades pelo empenho de aprender sempre, o professor fatalmente passará a preocupar-se com o aproveitamento dos alunos, buscando conhecer suas carências e motivá-los ao aprendizado.

Seus ganhos, então, serão ainda maiores, porquanto estará lidando com os valores do Amor, os mais importantes na Escola da Vida.

Assim acontece com relação a todas as atividades que desenvolvamos, em qualquer setor, no lar, no trabalho profissional, na instituição da qual participamos, na vida em sociedade.

À medida que *colocarmos o coração*, crescendo em conhecimento e virtude, estaremos nos situando cada vez mais eficientes e produtivos.

Melhor que isso, teremos farta remuneração como Espíritos imortais, nos caminhos da evolução, aproveitando de forma mais ampla e feliz as bênçãos do tempo.

E se algo posso desejar-lhe, leitor amigo, nestas considerações finais, desejo-lhe muita *pá*, como dizia Chico Xavier, isto é, muito trabalho na prática do Bem e no aprendizado incessante, a acumular aquelas riquezas que as traças e a ferrugem não corroem nem os ladrões roubam, como ensinava Jesus.

# BIBLIOGRAFIA DO AUTOR

**01 – PARA VIVER A GRANDE MENSAGEM** *1969*

*Crônicas e histórias.*

*Ênfase para o tema Mediunidade.*

Editora: FEB

**02 – TEMAS DE HOJE, PROBLEMAS DE SEMPRE** 1973

*Assuntos de atualidade.*

Editora: Correio Fraterno do ABC

**03 – A VOZ DO MONTE** 1980

*Comentários sobre "O Sermão da Montanha".*

Editora: FEB

**04 – ATRAVESSANDO A RUA** 1985

*Histórias.*

Editora: IDE

**05 – EM BUSCA DO HOMEM NOVO** 1986

*Parceria com Sérgio Lourenço*

*e Therezinha Oliveira.*

*Comentários evangélicos e temas de atualidade.*

Editora: EME

**06 – ENDEREÇO CERTO** *1987*

*Histórias.*

Editora: IDE

**07 – QUEM TEM MEDO DA MORTE?** *1987*

*Noções sobre a morte e a vida espiritual.*

Editora: CEAC

**08 – A CONSTITUIÇÃO DIVINA** *1988*

*Comentários em torno de "As Leis Morais",*

*3ª parte de* O Livro dos Espíritos.

Editora: CEAC

**09 – UMA RAZÃO PARA VIVER** 1989

*Iniciação espírita.*

Editora: CEAC

**10 – UM JEITO DE SER FELIZ** 1990

*Comentários em torno de*

*"Esperanças e Consolações",*

*4ª parte de* O Livro dos Espíritos.

Editora: CEAC

**11 – ENCONTROS E DESENCONTROS** 1991

*Histórias.*

Editora: CEAC

**12 – QUEM TEM MEDO DOS ESPÍRITOS?** 1992

*Comentários em torno de "Do Mundo Espírita e*

*dos Espíritos", 2ª parte de* O Livro dos Espíritos.

Editora: CEAC

**13 – A FORÇA DAS IDEIAS** 1993

*Pinga-fogo literário sobre temas de atualidade.*

Editora: O Clarim

**14 – QUEM TEM MEDO DA OBSESSÃO?** 1993

*Estudo sobre influências espirituais.*

Editora: CEAC

**15 – VIVER EM PLENITUDE** 1994

*Comentários em torno de "Do Mundo Espírita e dos Espíritos", 2ª parte de* O Livro dos Espíritos.

*Sequência de* Quem Tem Medo dos Espíritos?

Editora: CEAC

**16 – VENCENDO A MORTE E A OBSESSÃO** 1994

*Composto a partir dos textos de* Quem Tem Medo da Morte? *e* Quem Tem Medo da Obsessão?

Editora: Pensamento

**17 – TEMPO DE DESPERTAR** 1995

*Dissertações e histórias sobre temas de atualidade.*

Editora: FEESP

**18 – NÃO PISE NA BOLA** 1995

*Bate-papo com jovens.*

Editora: O Clarim

**19 – A PRESENÇA DE DEUS** 1995

*Comentários em torno de "Das Causas Primárias", 1ª parte de* O Livro dos Espíritos.

Editora: CEAC

**20 – FUGINDO DA PRISÃO** 1996

*Roteiro para a liberdade interior.*

Editora: CEAC

**21 – O VASO DE PORCELANA** *1996*

*Romance sobre problemas existenciais, envolvendo família, namoro, casamento, obsessão, paixões...*

Editora: CEAC

**22 – O CÉU AO NOSSO ALCANCE** 1997

*Histórias sobre "O Sermão da Montanha".*

Editora: CEAC

**23 – PAZ NA TERRA** 1997

*Vida de Jesus – nascimento ao início do apostolado.*

Editora: CEAC

**24– ESPIRITISMO, UMA NOVA ERA** 1998

*Iniciação Espírita.*

Editora: FEB

**25 – O DESTINO EM SUAS MÃOS** 1998

*Histórias e dissertações sobre temas de atualidade.*

Editora: CEAC

**26 – LEVANTA-TE!** 1999

*Vida de Jesus – primeiro ano de apostolado.*

Editora: CEAC

**27 – LUZES NO CAMINHO** 1999

*Histórias da História, à luz do Espiritismo.*

Editora: CEAC

**28 – TUA FÉ TE SALVOU!** 2000

*Vida de Jesus – segundo ano de apostolado.*

Editora: CEAC

**29 – REENCARNAÇÃO – TUDO O QUE VOCÊ PRECISA SABER** 2000

*Perguntas e respostas sobre a reencarnação.*

Editora: CEAC

**30 – NÃO PEQUES MAIS!** 2001

*Vida de Jesus – terceiro ano de apostolado.*

Editora: CEAC

**31 – PARA RIR E REFLETIR** 2001

*Histórias bem-humoradas, analisadas à luz da Doutrina Espírita.*

Editora: CEAC

**32 – SETENTA VEZES SETE** 2002

*Vida de Jesus – últimos tempos de apostolado.*

Editora: CEAC

**33 – MEDIUNIDADE, TUDO O QUE VOCÊ PRECISA SABER** 2002

*Perguntas e respostas sobre mediunidade.*

Editora: CEAC

**34 – ANTES QUE O GALO CANTE** 2003

*Vida de Jesus – o Drama do Calvário.*

Editora: CEAC

**35 – ABAIXO A DEPRESSÃO!** 2003

*Profilaxia dos estados depressivos.*

Editora: CEAC

**36 – HISTÓRIAS QUE TRAZEM FELICIDADE** 2004

*Parábolas evangélicas, à luz do Espiritismo.*

Editora: CEAC

**37 – ESPIRITISMO, TUDO O QUE VOCÊ PRECISA SABER** 2004

*Perguntas e respostas sobre a Doutrina Espírita.*

Editora: CEAC

**38 – MAIS HISTÓRIAS QUE TRAZEM FELICIDADE** 2005

*Parábolas evangélicas, à luz do Espiritismo.*

Editora: CEAC

**39 – RINDO E REFLETINDO COM CHICO XAVIER** 2005

*Reflexões em torno de frases e episódios bem-humorados do grande médium.*

Editora: CEAC

**40 – SUICÍDIO, TUDO O QUE VOCÊ PRECISA SABER** 2006

*Noções da Doutrina Espírita sobre a problemática do suicídio.*

Editora: CEAC

**41 – RINDO E REFLETINDO COM CHICO XAVIER** 2006

**Volume II**

*Reflexões em torn de frases e episódios bem-humorados do grande médium.*

Editora: CEAC

**42 – TRINTA SEGUNDOS** 2007

*Temas de atualidade em breves diálogos.*

Editora: CEAC

**43 – RINDO E REFLETINDO COM A HISTÓRIA** 2007

*Reflexões em torno da personalidade de figuras ilustres e acontecimentos importantes da História.*

Editora: CEAC

**44 – O CLAMOR DAS ALMAS** 2007

*Histórias e dissertações doutrinárias.*

Editora: CEAC

**45 – MUDANÇA DE RUMO** 2008

*Romance.*

Editora: CEAC

**46 – DÚVIDAS E IMPERTINÊNCIAS** 2008

*Perguntas e respostas.*

Editora: CEAC

**47 – BEM-AVENTURADOS OS AFLITOS** 2009

*Comentários sobre o capítulo V*

*de* O Evangelho segundo o Espiritismo.

Editora: CEAC

**48 – POR UMA VIDA MELHOR** 2009

*Regras de bem viver e orientação*

*aos Centros Espíritas.*

Editora: CEAC

**49 – AMOR, SEMPRE AMOR!** 2010

Variações sobre o amor, a partir de *O Evangelho*

*segundo o Espiritismo.*

Editora: CEAC

**50 – O PLANO B** 2010

*Romance.*

Editora: CEAC

**51 – BOAS IDEIAS** 2011

*Antologia de 50 obras do autor.*

Editora: CEAC

**52 – A SAÚDE DA ALMA** 2011

*Histórias e reflexões em favor do bem-estar.*

Editora: CEAC

# Boas Ideias

Richard Simonetti

Nestas páginas, uma envolvente amostragem dos cinquenta livros do autor, consagrado como um dos melhores escritores espíritas da atualidade.

Destaca-se por sua contribuição marcante em favor de uma literatura espírita leve, bem humorada, clara e objetiva, mas, sobretudo, com conteúdo doutrinário que convida o leitor a pensar.

**CTP • Impressão • Acabamento**
Com arquivos fornecidos pelo Editor

EDITORA e GRÁFICA
VIDA & CONSCIÊNCIA

R. Agostinho Gomes, 2312 • Ipiranga • SP
Fone/fax: (11) 3577-3200 / 3577-3201
e-mail:grafica@vidaeconsciencia.com.br
site: www.vidaeconsciencia.com.br